平野貞夫

坂本龍馬の10人の女と謎の信仰

GS
幻冬舎新書
158

はじめに

坂本龍馬の活躍を世界中に広めたのは、司馬遼太郎の『竜馬がゆく』である。その中で私がもっとも感動したのは、龍馬が暗殺された場面の最後の語りである。


天に意思がある。

としか、この若者の場合、おもえない。

天が、この国の歴史の混乱を収拾するためにこの若者を地上にくだし、その使命がおわったとき惜しげもなく天へ召しかえした。

この夜、京の天は雨気が満ち、星がない。

しかし、時代は旋回している。若者はその歴史の扉をその手で押し、そして未来へ押しあけた。

「天に意思がある」、この感性が大事である。この発想なくして坂本龍馬を理解することはできない。

司馬遼太郎は、幕末の混迷期に生まれた「洟《はな》たれ小僧の落ちこぼれ」の龍馬が、天の意思でさまざまな人々と出会い、時代の扉を開けてこの世から去っていくまでを描いた。龍馬は「天の意思」、すなわち「天命のレセプター」であったといえる。となると、龍馬と関わった人々も天命によって使われていたことになる。

龍馬の活動の特徴を一言で表すと、「他人の褌《ふんどし》で相撲をとる」といわれているが、私流にいうなら、「天命の褌で相撲をとる」となる。これまでの龍馬論は、龍馬の手紙や文献にこだわったアカデミックな研究が多かった。これらを私は「オタク龍馬論」と名づけている。また、事実関係を曲げて、ブームを利用した個人英雄論もあふれるほどある。これでは龍馬もあの世で大笑いをしているだろう。

本書では、「天の意思で生かされ世を去った」龍馬を論じたい。龍馬に関わった人は全て天の意思で使われたという見方を提示する。

まず女性である。天命は女性を使って龍馬を育てたのではないか。龍馬に縁のあった女性十人がどのように龍馬をして歴史の扉を開ける作業に関わらせたのかを検証した。

海外知識と人間の自由と平等に、龍馬の心眼を開かせたのはジョン万次郎と画人・河田小龍、そして勝海舟らである。彼らもまた天命に使われたという発想で、龍馬との関わりを論じた。龍馬を生んだ土佐の風土も天の意思として見直した。

また、本書ではまったく新しい龍馬像を論じた。龍馬の歴史回天に天命が与えた最大の力とは何か。それは北辰一刀流と出会ったことではないかと私は推論する。これまで北辰一刀流は、龍馬にとって単なる剣術修行としか見られていない。私は最近、北辰一刀流の原点である妙見信仰を学ぶ機会があった。ここに、人間の動かし方を通じて世の中を変える秘術があることは知られていない。

幕末、千葉周作が開宗したといわれる北辰一刀流は、周作一人がつくったものではない。中世まで活躍し鎌倉時代に全国に所領を持った千葉一族との共同作業で完成させたものだ。千葉一族のルーツは、平将門が「平安の改革」に失敗してからも下総を中心に栄えた将門一族にある。この千葉一族が将門の神霊を受けて、源頼朝を擁立してつくったのが鎌倉幕府であった。

鎌倉封建政治は平安貴族政治を改革したもので、働きに応じて領地を配分した。千葉一族は豊臣秀吉の小田原の北条攻めで、北条側につき、敗れて全国に離散する。そして幕末、北辰一刀流という剣術の顔で、歴史を変えるために世の中に再び現れたのではないか。千葉定吉道場の娘・佐那の許嫁となった龍馬は北辰一刀流の秘術・妙見に関わる何かを身につけた。将門の神霊は誰にも臆することなく天下を動かす龍馬に変身し、明治維新実現のため犠牲になったのではないか。

もとより十分な検証もない、精神や思想のＤＮＡの存在を確信する私の歴史深層心理学による推論である。鎌倉幕府開設に貢献した千葉常胤《つねたね》から数えて二十四代目相伝者の千葉吉胤妙星氏と縁があったことから、妙見信仰及び北辰一刀流の原点について勉強をさせてもらい、新しい龍馬論として問題提起を試みたと理解されたい。なお、終章には千葉吉胤妙星氏との「対談・龍馬と妙見の法力」を収載した。千葉吉胤妙星氏の協力がなければ「新しい龍馬論」を執筆することはできなかった。

ところで平成二十一年（二〇〇九）八月三十日の衆議院総選挙を坂本龍馬はどう見たであろうか。「皇紀二六六九年の日本で、初めて民衆がつくった国家政治権力だ。民衆の心に妙見の星信仰が生きていたのだ。わしが夢みた政治が実現できそうになったんだ」と語ると私は思う。

坂本龍馬の10人の女と謎の信仰／目次

第四章　ジョン万次郎、河田小龍、坂本龍馬　117

第五章　龍馬活躍の背景と謎　142

第一章　龍馬を育てた十人の女

「人間の最初の分業は、男と女の分業だ」と言ったのは、カール・マルクスであったと記憶している。坂本龍馬の三十三年間の生涯を「鳥の目（バード・ビュー＝暗いところで目が見えなくなることではない。鳥が飛ぶ高い場所、全体が見えるところから総合的に観察する意味）」で見ると、龍馬は女性から与えられた能力と活力を活用して一生を送ったといえる。

そこで龍馬を育てた女性の中から十人を選んで、その活動ぶりを述べることにする。男と女という興味本位のことではなく、明治維新の日本回天が、龍馬と女たちの共同作業によるものであり、歴史的分業であったことをテーマとしたい。天命は女たちに大きな役割を与えていたのだ。

第一節　坂本家の女たち

母親・幸の早すぎた死

龍馬は天保六年（一八三五）十一月十五日、土佐の豪商で郷士の坂本八平直足《はちへいなおたり》の次男として生まれた。「母幸、雲龍奔馬の胎内に入るを夢み、覚めてのち龍馬を生む」（千頭清臣著『坂本竜馬』博文館）という話が伝えられている。黒潮文化のアニミズムを感じさせる話だ。父・八平は坂本家に入った養子であったが、この子に期待し易者に見相させた。「大器にして晩成し必ず家名を揚げる」との卦を受け「龍馬」と命名したといわれる。

ところが龍馬は期待に反して、十歳を過ぎても寝小便たれ、洟たれの癖が直らない。痴児といわれた時期もあった。寺子屋にあたる高知城下の楠山塾に通うようになっても、落ちこぼれの代表であった。その楠山塾で事件が起こる。上士の少年が刀を抜き龍馬に斬りつけたのだ。このとき、龍馬は手元にあった文庫箱の蓋で防いだ。

この事件は龍馬にとって、天命といえるほど大きな影響を与えた。ひとつは、落ちこぼれの少年龍馬が意外にも、上士の刀による攻撃を見事防いだこと。危機に対して敏捷《びんしょう》な自分に気がついたのである。さらに、この事件で封建時代の身分差別を身をもって自覚した。上士の少年は退塾させられたが、龍馬も塾をやめることになる。

そんな龍馬をいちばん心配したのが、母・幸《こう》であった。母は病弱で、弘化三年（一八四六）六月十日に病死する。龍馬が十二歳のときである。末っ子の龍馬にとって母の死は、絶望的ショックであった。世の中でもっとも優しかった母親を、天命は龍馬から奪ったのである。龍馬がこれを運命と感じるまでには時間を必要とした。

天命は母・幸の胎内に「雲龍奔馬」の種を贈り、洟たれ龍馬を本物の「雲龍本馬」にするため、母を天に召したのである。十二歳という多感な少年期の龍馬にとって耐えがたい悲しみであった。しかし、この悲しみこそが、龍馬の成長の源となるのである。

女傑といわれた継母・伊与

母・幸の病死後一年が過ぎて、父・八平は後妻を迎える。名は伊与《いよ》、高知城下小高坂の御蔵役御用人の北代《きただい》家の長女である。伊与は山内家の下屋敷に勤めていた。普通の勤めではない。「祐筆」といって、奥方の代筆役のような仕事をやっていたようだ。さらに奥女中に薙刀《なぎなた》を教える女傑であった。

この継母・伊与の龍馬への影響については十分な研究が行われていないようだ。中祭邦乙氏の『竜馬外伝』（中央文化出版）に詳しい。私は継母・伊与の龍馬に及ぼした影響力は無視できないという点から、中祭氏の大胆な推定を支持したい。

　伊与は夫縁に恵まれない。最初の夫が病死して出戻り、次に仁井田の豪商・川島家に嫁いだが、夫も子も死亡している。そして坂本家の後妻に望まれて入ったのである。

　坂本家も親類縁者も利発な伊与を受け入れるが、一人だけ馴染まない人間がいた。龍馬である。伊与は龍馬の心を和らげるために甘えさせるのではなく、厳しく躾《しつ》けた。それに龍馬は強く抵抗する。継母・伊与と龍馬の心理的葛藤は、その後の龍馬の成育にさまざまな形で影響を与えている。

　あるとき、伊与は龍馬を舟遊びに誘う。浦戸湾に出て、回漕業を営む下田屋に連れていく。そこは伊与のかつての嫁入り先、川島家であった。川島家は土佐藩御船倉の御用商人で、屋敷の壁には世界地図があった。海に生きる人たちの道具や暮らし、異国の情報がそこにあった。龍馬は海に興味を持つとともに、継母・伊与に心を許すようになる。

　遅まきながら龍馬が自立の精神に目覚めたのは、伊与の努力の賜物といえる。龍馬は伊予から礼儀と行儀、薙刀を徹底的に仕込まれた。伊与もまた、天命による使命を持っていたといえる。

兄と三人の姉、千鶴、栄、乙女

龍馬には四人の兄姉がいた。二十一歳年上の兄・権平《ごんぺい》直方、十九歳年上の長姉・千鶴《ちず》、次姉・栄《えい》（生年不詳）、三歳年上の三姉・乙女《とめ》である。二十歳近くも年上では、同居しても兄姉の感覚は少ない。親子といってもおかしくない。

長姉・千鶴は安芸郡安田村郷士高松順蔵に嫁いだ。安田村といえば名酒「土佐鶴」の里で、江戸時代から栄えていた。夫の順蔵は居合術の名人で、国学儒学に通じており、在野の雄として知られていた。少年時代の龍馬は、義兄・順蔵を慕い高松家をしばしば訪ね影響を受けている。

千鶴は四十五歳で病死するが、太郎と南海男を産んだ。太郎は後の海援隊士・高松太郎で、坂本龍馬の死後、養子として坂本直を名乗った。南海男は龍馬の兄・坂本権平の養子となり、坂本直寛を名乗り、北海道に移住した。維新後、土佐から北海道に入植した人たちは多く、龍馬が生前に情熱を燃やした北海道開発を実現させる。千鶴は坂本家の血筋を保つという役割を果たした。

次姉、栄は出生の年月日もわからないほど、知られていない女性である。しかし龍馬の日本回天の活躍に決定的な役割を果たしている。栄は高知城下の柴田家に嫁ぐが、折り合いが悪く離縁して坂本家に帰ってきた。ちょうど龍馬が二度目の江戸修行を終え高知城下に戻り、武市半平太塾に出入りしていた頃である。龍馬は半平太の学識は評価していたものの、運動論については批判的で、次第に脱藩を考えるようになる。兄・権平はその気配を感じ、親族に注意を促し、龍馬の佩刀《はいとう》（持っている刀）を取り上げた。

郷士とはいえ武士の端くれ、刀がなければ何もできない。まして脱藩となると身を護るには刀が必要だ。ピストルが普及している時代でもない。困り果てている龍馬を助けたのが、栄であった。栄が「名刀吉行」を秘かに持ち出し、窮状の龍馬に与え志を立てるように励ましたのである。

脱藩の成功によって龍馬は歴史の主人公になりえたが、その手助けをしたのが次姉・栄だったのだ。栄の犠牲的献身によって龍馬は「日本の洗濯」に乗り出すことができた。

龍馬は文久二年（一八六二）三月二十四日、沢村惣之丞とともに脱藩する。栄は禍が一族に及ぶことを恐れ、全て自分の責任として自害する。遺墨《いぼく》に次のように残した。

白露の玉のおすゝきいゐつとゝ月かげながら手折きや君

（平尾道雄編『坂本龍馬のすべて』新人物往来社より）

弟・龍馬の志が成功するよう月かげで祈っていると記している。これには異説があるが、私は採らない。歴史が回天する裏には悲劇が潜んでいるのが人の世である。いや天命の配剤か、龍馬の活動は多くの人々との縁によって支えられている。

母親代わりの三姉・乙女

龍馬が母親代わりとして親しんだ乙女姉は、天保三年（一八三二）正月元旦に生まれたといわれているが、事実はわからない。龍馬より三歳年上で、明治十二年（一八七九）に壊血病で死亡している。五尺八寸（百七十センチを超える）の身長で、二十五貫（百キロ）ぐらいの体重の持ち主であったといわれる。男勝りの「八金《はちきん》」として知られていた。八金とは土佐の俗語で、気が強くてしっかり者の女性のことをいう。俗説で、男性四人分の仕事ができるという意味がある。男に二つの金があるのでそう言うのだろう。

病身な母の代わりに龍馬を男として育て上げたのが乙女であった。龍馬が十二歳、乙女が十五歳で母親を亡くすが、末っ子で泣き虫、寝小便たれの弟を励まして育てた乙女に関する逸話は多い。寺子屋で落ちこぼれた龍馬に文字を教え、得意の剣術で龍馬を鍛えた。かくして龍馬は継母と姉という二人の女性から武道を仕込まれた。

龍馬と乙女姉の関係は、龍馬研究の第一人者・宮地佐一郎氏の『龍馬百話』（文春文庫）が実に面白い。

「よくお聞き」

乙女は龍馬を、裏の柿の木の下へ呼んだ。

「坂本の家は江州《ごうしゅう》坂本城主、明智左馬之介光春の出です」

彼は天正十年（一五八二）豊臣秀吉の大軍を迎えて戦った。敵の包囲陣を突破してただ一騎、琵琶湖に馬を乗り入れ、打出の浜から唐崎まで泳ぎ渡った。雲龍の陣羽織に風をはらませて、湖水を乗り切った若武者。館《やかた》に入った光春は火を放って、城と共に亡んだ。その遺児が難を避けて土佐の国へ落ちてきたという。

「龍馬、左馬之介たれ」

と結んだ。そして、「男だけではない。坂本家は女傑《じょけつ》も出ている」彼女は胸を張って話した。（中略）

「ちゃっちゃー。乙女姉やんそつくりじゃ」

聞き終った龍馬は姉をおだてた。この大好きな姉が語ったことは、柔かい砂地に吸いこまれる真水のように、龍馬少年の心を養っていった。

文献研究こそが歴史学だとする「オタク龍馬研究者」は一笑するかもしれぬが、この話を単純に小説として扱うわけにはいくまい。この話の元は、明治時代に土佐の歴史と文化、風土を研究した博学の人・寺石正路氏の筆による『南国遺事』にあるといわれている。歴史を考える場合、文献も物証も必要だが、時間をかけて人々に継承されている言い伝え、伝承は、心を伝える重要な要素である。

乙女の生涯は必ずしも幸せとはいえない。結婚相手は山内家の御奥医・岡上樹庵であった。樹庵は龍馬を可愛がった。画人・河田小龍に会うのを勧めたのも樹庵であった。岡上家には、しっかりものの姑・霜がおり、家風の違いもあってか、乙女は一男一女を産むと坂本家に戻った。

龍馬は甘えたり威張ったりするだけではなく、維新回天の構想をわかりやすく乙女に伝えている。不思議なことに龍馬から乙女への手紙は多く残っているが、乙女から龍馬への手紙はない。現存する龍馬の書簡百二十七通のうち、十四通が乙女宛のものである。

龍馬から乙女姉への手紙

代表的なものを挙げておこう。文久二年（一八六二）五月十七日付のもので、脱藩して一年を過ぎたばかりの時期である。龍馬が勝海舟の門人となって得意になっている様子を乙女姉に伝えたものだ。

此頃は天下無二の軍学者勝麟太郎という大先生に門人となり、ことの外かはいがられて候て、先《まず》きやくぶん（客分）のよふなものになり申候。（中略）むかしいゝし事を御引合なされたまへ。すこしヱヘンがをして、ひそかにおり申候。達人の見るまなこハおそろしきものとや、つれぐ〱（徒然草）ニもこれあり。猶《なお》ヱヘンヱヘン、かしこ（『龍馬百話』より）

このカナ交じりの候文は、なかなかに面白い。洟たれ時代のことを思い出しながら、天下の軍学者の門人客分となったことを、三歳上の姉に自慢している様子は龍馬らしい。それに耳学問が得意な龍馬が意外にも本を読んでいた形跡が、この手紙にある。兼好法師の『徒然草』の引用である。多分、乙女姉の指導で読んだのではないか。

もう一通、龍馬の宇宙観を眺《のぞ》くことができる手紙を紹介しておこう。慶応二年（一八六六）十二月四日付で、乙女姉に宛てたものだ。暗殺されるおよそ一年前の心境である。

世の中の事は、月と雲、実にどふなるものやら知れず、おかしきものなり。うちに居りて、味噌薪よ、年の暮れは米、受取りよ、などよりは、天下の世話は実に大雑把《おおざっぱ》いなるものにて、命さへ捨てれば面白き事なり（『坂本龍馬のすべて』より）

この手紙は寺田屋事件（慶応二年・一八六六、一月二十四日）で遭難した後、妻のお龍《りょう》と鹿児島に新婚旅行に行ったとき、乙女姉に宛てたものである。大乱世の一刻を日本で初の新婚旅行といわれることで、負傷を癒しながら姉へ送る心境が感じられる。人の世を日や雲の動きから見る姿勢は、龍馬得意の「バード・ビュー」である。これは自然崇拝の土佐黒潮縄文精神が原点にあることを忘れてはならない。

天下の動き、すなわち維新回天を「大雑把」なこととは、まことに的確な見方だ。こんなとこまかく神経質に考えていては何もできない。国事・政治の本質を捉えたものである。「命さへすてればおもしろき事なり」とは、自分を捨てること―無私―が、成功のもとだという意味だろう。「命を懸けることを革命成功の鍵」とする発想は、土佐南学の「知行合一」の影響を受けたもので、新しい時代をつくろうとする龍馬の覚悟が読める。

この手紙を読んだ乙女姉の心境を記したものはない。維新回天に腹を固め、命を懸けた弟をどう思ったか。「龍馬、左馬之介たれ」と乙女が育て上げた龍馬が、自分から離れていく寂しさと、国のために活躍する弟への期待など複雑な思いであったであろう。

第二節　土佐の恋人、お徳と平井加尾

土佐の夜這い文化と中村小町、お徳

龍馬は土佐生まれの女性何人かに思いをかけていたという話が残っている。『竜馬がゆく』は土佐藩家老福岡宮内の妹・田鶴との恋物語を詳細に書いているが、これはまったく小説の中の話である。

土佐には「九ツとや、小町娘はお徳さん、夜あそび仲間に龍馬あり」と意味ありげな美女数え歌がある。火のないところに煙は立たないというが、私は、これは結構事実に近いと睨《にら》んでいる。

お徳《とく》は天保十四年（一八四三）生まれで、龍馬より八歳年下、幡多郡中村（現在の四万十市）の漢方医・岩本里人の娘である。中村小町と呼ばれる京美人であった。

中村は小京都といわれ、応仁の乱を逃れた先の関白・一条教房が、四万十川沿につくった小都である。僻地《へきち》なるが故に、現在でも六百年を超えて血の混りが少ないため、京美人が多く、言葉も当時の京言葉が残っている。お徳十三歳のとき岩本家は高知城下に移る。城下の若侍が押しかけるほどの美人で、この中に龍馬がいたといわれている。龍馬が「お徳を嫁にもらいた

い」と申し出たが、父親の里人が「龍馬は土佐に居付くような男ではない」と断った話が残っているので、それなりの関係があったと思う。

お徳は山内容堂の側女音丸付の女中となり、その後大阪の山内家出入りの豪商鴻池善右衛門の妾《めかけ》となり、豪奢《ごうしゃ》な暮らしをしていたが、水戸藩士の妻となり、維新後、主人が警察官として中村に赴任し、故里で九十七歳の長寿をまっとうした。

このお徳が晩年龍馬について語った。「龍馬さんは本当に男らしい方でした。好きであったかどうか、オホホホ、いつも詩を吟じながらお帰りになりました」というものだ。

実は司馬遼太郎は『竜馬がゆく』で、龍馬がお徳のところに夜這いに行くくだりを書いている。この話は事実の可能性があるというのが、私の推論だ。土佐で生まれ「夜這い文化」で育った私の直感である。

そう思う理由の一つは、龍馬が夜這いに行ったお徳の住む家の場所である。高知城下の秦泉《じんぜん》寺《じ》というところで、今では住宅街だが、当時は人家の少ない静かな山里だった。

そこで「土佐の夜這い文化」について紹介しておこう。土佐は地の果ての避地だ。落人や流人の国である。孤立した山間部や海辺の集落では同族結婚が続く。その障害を避けるため、「御種頂戴」という男性外来客の床に娘を行かせる習慣があった。そんなことから、おおらかな男女関係が文化として形成されていた。「夜這い」にはルールがあり、愛が前提であった。

好き合っている女性の家の寝室に忍び込むには、コーディネートする役と案内役が必要で、思いを遂げて結婚するかどうかは状況によった。昭和三十年代頃まで、山間地域ではこの習慣が残っていた。

せっかくの機会だから『竜馬がゆく』からクライマックス・シーンを要約しておこう。

手さぐりで紙障子をさぐりあて、大胆にもカラリとひらいた。

「お徳どのとは、そなたか」

竜馬は、掛けぶとんを持ちあげて勢いよくお徳の横にすべりこむなり、その温かい体を力いっぱいに抱き寄せた。

お徳は、だまったままである。

竜馬の腕に腰のくびれを抱きしぼられたまま、弓なりに背をそらせ、懸命に吐く息をこらえている。

(可愛い。……)

竜馬は、自分でもあきれるほどに落ち着いていた。ひょっとするとこの女を知ったあとは、存外、したたかな女蕩《たら》しになるかもしれぬぞ、とさえ思った。

「わしは今からばぶれもんになるゆえ、ちゃんと心得ろ」

「心得ております」

「ひざだ、このひざを解いてくれ」

「それは、殿御が自然と解けるようにお導きなさらねばなりませぬ」

この娘は、十分に男を知っている。肢体こそ羞恥に満ちていたが、言葉に落ちつきと機智があった。

さればこうか、と竜馬は、お徳の胸にのせた掌を腹部のやわらかい起伏にそって撫でおろし、やがて小さな隆起にとどいた。

そのころにはすでにお徳のひざが割れていた。

小さな隆起は、竜馬の掌の下で、そこだけが別の生きものに化したかのように動き、やがて竜馬の指が濡れた。

あとは、神が人に与えてくれたままに従えばよい。苦もなかった。

竜馬はお徳の胎内を自分のものにし、胎内を竜馬にあずけたお徳は唇を噛み、ときどき息を洩らし、ときどき小さな声をあげた。

「坂本さま」

お徳は、夢中で白いあごをあげた。

司馬遼太郎はこの話を、安政三年（一八五六）八月、龍馬が二度目の江戸修行に旅立つ直前と想定して書いている。このとき、龍馬は二十二歳、とするとお徳は十四歳となる。土佐の女性がいくら早熟といっても、十三、四歳では「十分に男を知って」夜這いの相手ができる歳ではない。私は、この話の時期を二度目の江戸修行から帰って、武市半平太のもとで土佐勤王党に参加し、尊王攘夷運動に悩み脱藩を決意する頃ではないかと思う。

龍馬は女が許す女蕩しでもあったし、それ以上に男蕩しであった。それが故に時代の流れに漂流する指導者たちを、引っ張っていくことができたのだ。それも龍馬が脱藩を決断し、封建制の枠から自由になったからこそできたのである。

二十歳のお徳に夜這いに行き、神が人に与えたままに従う情交の中で、龍馬は脱藩を決意したのではないだろうか。「夜這い」が、二十八歳で脱藩という、神が龍馬に与えた天命であったのだ。

才色兼備、三歳年下の「恋と革命」の同志、平井加尾

龍馬には「恋と革命」の同志として、思いを寄せていた土佐の女性がいる。平井加尾《かお》である。高知城西井口村の生まれで、龍馬より三歳年下、兄の平井収二郎は勤王党で、龍馬の同志であった。井口村は龍馬の生まれた上町の近くにあり、幼馴染みであった。加尾は和歌と文章に秀

れた才色兼備の女性で、山内容堂の妹友姫が三条家に嫁した際にそのお付役として京都で暮らすことになる。

加尾が京都で暮らしたのはわずかな期間で、文久二年（一八六二）九月に上京、翌文久三年には三条家を辞し土佐に帰る。宮地佐一郎氏は『龍馬百話』で、後に警視総監となった西山家に残された袱紗《ふくさ》に、龍馬と加尾が好き合っていた証拠を紹介している。

龍馬の死後、龍馬の思い出にと加尾が作ったであろう袱紗には龍馬の筆跡と思える歌に添えて「あらし山花にこころのとまるとも　馴れし三国の春な　わすれそ　八本こ」という八矛の歌が縫い込んである。脱藩して活躍する龍馬を思い、土佐にいる自分のことを忘れないでほしい、という加尾の若い頃の気持ちを残したものではないか。

ところで、加尾は龍馬の脱藩後、脱藩志士を親身になって世話をしたことで知られている。それも龍馬を愛していたからである。龍馬が加尾を勤王運動の同志と考えていたことを示すものとして、加尾に出した手紙が残っている。

先づここに御無事と存じ上げ候。天下の時勢切迫いたし候に付、
一、高マチ袴　一、ブッサキ羽織　一、宗十郎頭巾、
外に細き大小一腰各々一ツ、御用意あり度存じ上げ候
九月十三日　坂本　龍馬

平井かほどの

これはまことに不思議な手紙だ。月日はあるが、年が不明である。龍馬が脱藩した年の文久二年ではないかとみられる。その年は加尾が京都で暮らすようになる年だ。京都に着いたばかりの加尾に宛てたものであろう。加尾は龍馬が手紙で指示した品々を用意して、龍馬を待っていたのではないか。加尾は龍馬とともに勤王運動に入るつもりであった。龍馬の妻として。ところが、これら男装の旅仕度を龍馬と一緒に使う運命にはならなかった。

加尾が翌文久三年に三条家を辞して、土佐に帰ったのは、龍馬と運命をともにすることができなかったからではないか。加尾は土佐藩騒動の煽《あお》りで切腹した兄・収二郎に代わって、平井家の再建に尽くし、西山直次郎と結婚する。直次郎は明治になって、志澄と改名し、自由民権運動家となり、立志社副社長として活躍した。龍馬の志を継いだ一人であった。加尾は明治四十二年（一九〇九）、七十二歳で長寿をまっとうする。龍馬の日本回天の裏には、こういう生き方をした女性がいた。

第三節　京都の女、お登勢とお龍

母であり姉であった寺田屋のお登勢

昨年（二〇〇九年）七月十二日は東京都議会議員選挙の投票日であった。私は著名な歴史学者の進言を受け、京都の伏見稲荷大社に参拝に行き、龍馬ゆかりの地を訪ねた。衆院の解散をめぐって自民党内が混乱し、民主党が政局の主軸となることが期待されている時期であった。進言によれば、「民主党はまだ歴史に対する謙虚さが足りない。京都で幕末維新を連想して、よくお祈りをしてこい」と言われ、誰に相談するすべもなく、七月十二日に出かけた。

伏見稲荷大社で参拝し、宮司さんにお目にかかると、「平野さんは京都とどんな縁がありますか」と聞かれた。「先祖の中に応仁の乱を避けて、土佐に移り住んだ人たちがいる」と答えたところ、次の話に驚いた。

「先の戦いで土佐に逃げられたのですか」

「いや、応仁の乱の昔話です」

「京都で太平洋戦争を先の戦いとは言いません。先の戦いと言えば応仁の乱のことです。伏見稲荷も大きな被害を受けたんです」

京都とは不思議なところだ。歴史が生きている。感心して「政権交代による日本の発展と安定」を祈願した。その足で近くの寺田屋を訪ね、龍馬にとって時に母であり、姉であり、恋人ともいえる「お登勢《とせ》」の面影を追ってみた。

お登勢は近江国大津の生まれで、龍馬より五歳年上であった。十八歳頃、伏見の船宿寺田屋の六代目伊助に嫁いだ。伊助は妾宅に入りびたりであったが、お登勢は働きもので家業を繁盛させた。勤王浪士の世話をすることでよく知られており、伊助はお登勢が三十五歳のとき病死した。

龍馬と知り合ったのは、いろいろな説があるが、文久二年（一八六二）、脱藩した後と思われる。この年四月には、龍馬との関わりで二つの大きな事件が起きている。土佐の藩参政・吉田東洋の暗殺と、京都の寺田屋事件である。龍馬は一時期、東洋暗殺の犯人の一人と噂されたが、その頃には土佐を離れ、下関から九州そして大坂から江戸へと、天下の情勢を身心に叩きこんでいた。そして京都では四月二十三日、寺田屋事件が起こり、薩摩藩士らの血が流れる。いよいよ天下は風雲急を告げる。

龍馬の妻となる「お龍」との出会いは後回しにして、龍馬がお登勢とお龍の縁をつくった話から始めよう。文久三年一月、京都の御幸町で大火事があった。龍馬が京都に潜伏していたときで、柳馬場にあったお龍の家も焼けた。出くわした龍馬は、お龍をかねて知り合いの寺田屋に連れて行き、お登勢に養子とするよう頼む。お龍を一目見て、お登勢は妾宅通いの亭主に相談することもなく、お龍を養女とすることを決意する。伏見に暮らす女性の直感で、お登勢はお龍に寺田屋の後を継がせるにふさわしい力を見つけたのだ。

後日、龍馬が寺田屋で伏見奉行所から襲撃を受けたとき、お龍の働きがなければ龍馬の命はなかったかも知れない。お登勢の勘は的中したわけだが、龍馬に心を許していたお登勢の気持ちは複雑であったと思う。時に母として、姉として龍馬に接したお登勢は想人《おもいびと》という感情も持っていた。

お登勢を土佐弁で「おかあ」と呼ぶようになった龍馬は乙女姉に宛てた手紙で、お登勢に対する思いを綴っている。

ちょふど私がお国ニて、安田順蔵さん（長姉・千鶴の夫、順蔵）のうちニおるよふなこころもちており候事ニ候て、又あちらよりもおゝいにかわいがりくれ候」

（慶応元年九月）

さらに、見逃せないのがお登勢の持つ情報力であった。伏見の寺田屋は南郊蓬来橋のたもとにあって、大坂と京都を結ぶ旅人の拠点である。天下の情報の集約地で、龍馬はさまざまな場面でこの船宿の才智に秀れた女主人の情報力に助けられている。文久二年四月、薩摩藩士・有馬新七らが斬殺された寺田屋事件の状況も、龍馬はお登勢から手にとるように知らされていた。

いつ頃から龍馬は寺田屋を常宿としていたのか。どうやら文久二年頃から常宿としたようだ。

お登勢の娘・殿井力女の思い出話が残っている。

龍馬先生とは元から御懇意ではなかったのです。薩摩の邸からの御依頼で、何うも阪本を邸内に置けない事情もあり、さうかと云って市中へ下宿さして置くのも危険だが、おとせに頼めば大丈夫、何とか庇護《かくま》って呉れるだろうとの事で、宅（寺田屋）へお出でになりました。母は快よく引受けて宿客一切謝絶して、二階へ隠匿《かくま》って置きましたが、阪本さんは昼はグッスリ寝込んで、夜になると何処かへ出掛けて往かれる。雨でも降ると二階へ引《ひき》籠《こも》って書見をしてゐなさる。偶《たま》に私や妹のお春（お龍の別名）など、引立って側へ遊びに行くと、『能く来た、好い物を見せやう』と手遊のやうに鉄砲を行李の中から取出し、『是れはピストルと言ふのだ。今度初めて長崎へ来たんだが、もし江戸方の捕吏《とりて》が来りゃア、是れで威嚇して遣《や》る』など云って、ニコ〱笑はれました。先生は色黒く、眼は光って随分恐い顔だったが愛嬌はあった。

（『坂本龍馬のすべて』より）

お登勢は、明治十年（一八七七）九月、四十八歳で肺炎で死亡した。勝海舟は「寺田屋は龍馬子爰やどに居ることしばしばなり、此時の主婦は奇女にて能く龍馬子をしれり」と語っている。お登勢は天命が龍馬のために使わした女性であった。

妻・お龍との出会い

お龍は天保十二年（一八四一）、京都の青蓮院宮家侍医・楢崎将作の長女として生まれた。龍馬より六歳年下である。龍馬と知り合った時期について、さまざまな論があるが、お龍本人が語ったことを確認しておこう。

「元治元年に京都で大仏騒動と云ふのが有りました。あの大和の天誅組の方々も大分居りましたが、幕府の嫌疑を避ける為めに龍馬等と一処に大仏へ匿《かく》れて居ったのです。処が浪人計《ばか》りの寄り合で、飯炊きから縫張《ぬいば》りの事など何分手が行き届かぬから、一人気の利いた女を雇ひたいと云ふので――こゝで色々の話しがあって――私の母が行く事になりました。

此時分に大仏の和尚の媒介《なかだち》で、私と阪本《ママ》と縁組をしたのですが、大仏で一処に居る訳には行きませむから、私は七条の扇岩と云ふ宿屋へ手伝方々預けられて居りました。

スルと、六月一日（元治元年）の夕方、龍馬が扇岩へ来て己れも明日は江戸に行かねばならぬから、留守は万事気を付けよと云ひますから、別れの盃《さかずき》をして其翌朝出立しました」

（お龍回顧録『千里駒後日譚』より）

これによると、龍馬とお龍は元治元年（一八六四）に、縁組をしたことになる。龍馬が乙女姉とおやべ宛に出した慶応元年（一八六五）九月の手紙には、一年を過ぎているが結婚したという記述はない。しかしお龍の家族関係や才能について詳しく述べている。

其頃其同志にてありし楢崎某と申医師、夫も近頃病死なりけるに、其妻とむすめ三人、男子二人、其男子太郎ハすこしさしきれなり（足りない）。次郎ハ五歳、むすめ惣領（お龍）ハ二十三、次ハ十六歳、次ハ十二なりしが、本十分大家にてくらし候ものゆへ、花いけ、香をきゝ、茶の湯おしなどハ致し候得ども、一向かしぎぼふこふ（炊ぎ奉公）する事ハできず、いつたい医者というものハ一代きりのものゆへ、おやがしんでハ、しんるいというものもなし。

お龍の父・楢崎将作は医師ながら、勤王派として知られていた。龍馬の手紙にも「同志にありし楢崎某」と記している。将作は安政五年（一八五八）の大獄で逮捕され、文久二年春、龍馬が脱藩した頃獄死する。

龍馬とお龍が知り合ったことについて、豊田穣の『坂本竜馬』（学陽書房）によれば、父・将作の死でどん底に落ちた楢崎家では、その夏、お龍の妹二人が大坂の女衒《ぜげん》にだまされ遊女に売られる。お龍はその手口に怒り大坂の女衒屋に行き、妹二人の手を引いて三十石船で淀川を経て伏見に着く。女衒の手先が待ちぶせしていたのは、寺田屋の前であった。

お龍は匕首《あいくち》を抜いた男たちから脅かされるが、懐剣を抜いて向かっていく。これを見た寺田屋のお登勢は店に入って呼んだ。「また斬り合いどっせ。片方は若い女や」。「止んなさい」と、寺田屋から出てきた大男がいた。この春土佐藩を脱藩して西国・九州をまわり、京都に入った坂本龍馬である。龍馬にかなう男たちではなかった。峰打ちで男たちは逃げた。お龍は懐剣をしまって龍馬に礼を言う。そのような出会いだ。

この話の種は、龍馬の手紙で前述した慶応元年九月のものにある。お龍を乙女姉に紹介するところで、

其悪もの二人をあいて（相手）に死ぬるかくごにて、刃ものふところにしてけんくわ（喧嘩）致し、とふ〳〵あちのこちのといゝつのりけれバ、わるものゝうでにほりもの（刺青）したるをだしかけ、ベラボヲ口にておどしかけしに、元より此方ハ死かくごなれバ、とびかゝりて其者むなぐらつかみ、かを（顔）したたかになぐりつけ。

と述べている。

多分、龍馬がお龍から聞いた話で、現場にいた話ではないと思う。お龍のしっかりした性格を、乙女姉に知らせようという龍馬の企みを感じる。龍馬がお龍に惚れ切っていた心情は、この手紙の続きでわかる。

右女ハまことにおもしろき女ニて月琴おひき申候。今ハさまでふじゆう（不自由）もせずくらし候。此女、私し故ありて十三のいもふと、五歳になる男子引とりて人にあづけおき、すくい候。

又、私のあよふ（危）き時よくすくい候事どもあり、万一命あれバどふかシテつかハし候と存候。此女乙大姉をして、しんのあね（姉）のよふニあいたがり候。乙大姉の名、諸国ニあらハれおり候。龍馬よりつよいというひようばん（評判）なり。

なにとぞおび（帯）か、きものか、ひとつ此者ニ御つかハし被レ下度、此者内〻ねがいいで候。（中略）今の名ハ龍と申、私しニに（似）ており候。早々たずねしニ、生レし時、父がつれ《ママ》し名（の）よし。

龍馬は、「お龍」という名に自分の名との特別な因縁を感じている。「此女、私し故ありて十三のいもふと、五歳になる男子引とりて人にあづけおき、すくい候」とあるのは、先ほど触れた火事のことであろう。

となると、龍馬とお龍が知り合ったのは、火事があった文久三年（一八六三）以前ということになる。豊田穣氏の話が小説とも思えなくなる。いずれにせよ、お龍の女としての魅力と胆力に、龍馬は惹かれ、男と女の仲になっていったことがわかる。

鹿児島への新婚旅行

お龍を有名にしたのは、慶応二年（一八六六）一月二十四日八ツ半（午前三時）、寺田屋で龍馬らが伏見奉行配下や新選組に襲撃された事件である。龍馬が薩長同盟を成功させた二日後であった。お龍の才智で龍馬は生命を助けられる。そのときの様子をお龍に語ってもらおう。

私は一寸と一杯と風呂に這入って居りました。処がコツン〳〵と云ふ音が聞えるので変だと思って居る間もなく、風呂の外から私の肩先へ槍を突出しましたから、私は片手で槍を捕え、態《わざ》と二階へ聞える様な大声で、女が風呂へ入って居るに槍で突くなんか誰れだ、誰れだと云ふと、静かにせい騒ぐと殺すぞと云ふから、お前さんに殺される私ぢゃないと庭へ飛び下りて、濡れ肌に袷《あわせ》を一枚引っかけ帯をする間もないから跣足《はだし》で駆け出す――

（『坂本龍馬のすべて』より）

当日、龍馬は真夜中（午前三時頃）に寺田屋に帰った。風呂に入り寝ようとしたとき、裸同様のお龍が裏梯子から二階に駆け登り、敵の襲撃を龍馬に知らせたのである。龍馬はピストルで、同宿の三吉慎蔵は宝蔵院流の槍で戦う。敵の隙をみて三吉とともに脱出し、龍馬は近くの材木置場に潜んだ。三吉が伏見の薩摩屋敷に急場を知らせ、救援隊が傷を負った龍馬を救出し、お龍とともに薩摩屋敷に避難させた。

薩摩屋敷に着いた様子を、お龍はこう回想する。

京都（薩摩屋敷）へ着くと西郷さんが玄関へ飛び出して能う来た〳〵お龍今度はお前の手柄が第一だ、お前が居なかったら皆の命が無いのだったと扇を開いて煽り立て、ソラ菓子だの茶だのって大そう大事にしてくれました。

龍馬はしばらくの間、薩摩屋敷で世話になり、傷の治療をする。二月五日には、桂小五郎の要請で、薩長同盟約定六カ条の保証裏書をしている。

龍馬とお龍は西郷らの勧めで、鹿児島で療養することになる。三月五日薩摩藩の蒸気船「三邦丸」で大坂港を出帆。この船には西郷隆盛、小松帯刀、中岡慎太郎、三吉慎蔵らが同乗していた。明治維新の立役者たちが揃うことになるが、龍馬とお龍にとっては新婚旅行であった。日本第一号であった。龍馬が湯治した温泉は「妙見温泉」であった。この「妙見」という言葉は龍馬の活動を支えたキーワードであり、後章で詳しく述べることにする。

この新婚旅行で龍馬とお龍は、霧島山に登る。龍馬が乙女姉に宛てた絵入りの長文の手紙は龍馬の文学的才能を表すものとして知られている。私の好みで面白そうな部分を宮地佐一郎の『龍馬百話』から紹介しておく。

此所ハもお、大隅《おおすみ》の国ニて和気清麻呂がいおり（庵）おむすびし所、蔭見（犬飼）の滝、其滝の布《ママ》（巾）ハ五十間も落て、中程にハ少しもさわりなし。実此世の外かとおもわれ候ほどのめづらしき所ナリ。

和気清麻呂に関心を持ったこと、蔭見の滝がこの世のものでないとする龍馬の感性が面白い。この時期の龍馬は普通の脱藩者でも、情熱を滾《たぎ》らせた志士でもなかった。古代の改革者や自然の中に異次元を見ようとする人間であった。

此所に十日斗《ばかり》も止りあそび、谷川の流にてうお（魚）ゝつり、短筒《ピストル》をもちて鳥をうちなど、まことにおもしろかりし。是《これ》より又山深く入りてきりしま（霧島）の温泉に行、此所より又山上ニのぼり、あまのさかほ（天の逆鉾）を見んとて、妻と両人づれニてはる〴〵のぼりしニ、（中略）どふも道ひどく、女の足ニハむつかしかりけれども、とふ〳〵馬のせこへまでよぢのぼり、此所にひとやすみして、又はる〴〵とのぼり、ついにいたゞきにのぼり、かの天《アマ》のさかほこを見たり。

この文章からは龍馬がお龍に惚れ込み、気を遣っていることがわかる。新婚旅行らしい雰囲気が伝わってくる。文中の「きりしまの温泉」とは「妙見温泉」として知られている。

相当に難儀して霧島山の山頂に登ったようだが、天の逆鉾には天狗の面が二方にあり、その顔つきがおかしかったこと、さらに動かしてみるとよく動くので、引き抜いたところ四〜五尺（約百三十センチ）の長さであったと図入りで説明している。

この龍馬の手紙を読んで私が感じたのは、龍馬は高所恐怖症であったということだ。霧島山を大きく描き、登ったコースを詳しく説明書きしているのは、火山に対する畏敬《いけい》と恐怖心からではないか。さらに手紙の中に、霧島山の噴火口について、「此穴ハ火山のあとなり、渡り三町アリ、すり鉢の如く下お見るニおそろしきよふなり」と書いている。

ここに登るについて「此間ハ山坂焼石計、男子でものぼりかねるほど。きじなくことたとへなし。やけ土さら〳〵すこしな（泣）きそうになる、五丁ものぼれバはきものがきれる」と、苦闘しているさまを述べている。さらに、下山するときの様子を「なるほど左右目のをよバぬほど、下がかすんでおる。あまりあぶなく（お龍の）手おひき行く」と記している。この「目のをよバぬほど、下がかすんでおる。あまりあぶなく」という表現に、龍馬が高所恐怖症であったことが表れている。

話は平成時代に急変するが、高知県が平成十五年（二〇〇三）、高知空港を「高知龍馬空港」と名づけると決定した。このことを知った私は「どうしてそんな馬鹿なことをしたのか。龍馬は高所恐怖症だ。必ず事故が起こるぞ」と親しい人たちに話していた。案の定、〇七年、ボンバルディア機の事故が発生した。政治や行政に関わる人間は歴史の神秘を理解すべきだ。

長崎妻と山の神お龍の激しい焼き餅

龍馬とお龍は薩摩藩の好意で新婚旅行を終え、慶応二年（一八六六）六月、桜島丸で鹿児島を出航し、長崎に着く。お龍を小曾根家に預け、月琴を稽古させるなど落ち着かせた龍馬は、亀山社中の海事に専念する。下関の伊藤家と、長崎の小曾根家が龍馬の活動の拠点となった。翌年春には下関の伊藤家に「自然堂」という庵をつくり、お龍を呼びよせた。自然に生きたいという縄文発想の龍馬の思考がにじみ出ている。しかし、二人の幸せな暮らしは長くは続かない。海援隊、船中八策、大政奉還へと時代が動くなかで、龍馬は下関―長崎―下関―土佐と、南船北馬ならず活躍したのである。

国事に奔走すればするほど、龍馬は女事にも奔走した。龍馬には長崎妻「お元《もと》」という名の美人芸者がいた。また、「錦路」という名の遊女も長崎で親しい関係であった。お龍がそれを知るのは、下関に帰ってきた龍馬と自然堂で愛を確かめたときである。龍馬のテクニックが格別に向上していたのだ。この頃、龍馬の作といわれる俗謡が西日本で流行った。

恋は思案のほかとやら、長門のせとの稲荷町、猫もしやくしもおもしろふ、あそぶ廓の春景色、ここにひとりの猿廻し、狸一匹ぶりすてて、義理もなさけもなき涙、ほかに心はあるまいと、かけてちかいし山の神、うちにいるのに心の闇路、さぐりていでて行く

山の神お龍の激しい焼き餅に対する龍馬の気持ちを率直に唄っている。国事に奔走する男の力の原点は女の情であるのは古今東西変わりない。龍馬は「廓のあそび」を幕末の政局にたとえ、自分を「猿廻し」として時局を動かすさまを見事に表現した。

しかし、龍馬の母港はお龍であった。龍馬がお龍に寝物語ったのは「戦争済めば山中へ這入

って安楽に暮す積り、役人になるのはおれは否《いや》じゃ……」という話である。「戦争」とは幕府廃止新政府の樹立であろう。龍馬は国事を離れ、北海道開拓や世界の海を駆け巡る自由な生き方を夢みていた。時にお龍の月琴を聞きながら。

天命はそれを許さない。慶応三年十一月十五日夜五ツ半（午後九時すぎ）、龍馬は京都河原町の醬油商近江屋で、刺客に襲撃され闘死する。同志の中岡慎太郎と会談中であった。

龍馬死後のお龍

下関の自然堂にいたお龍は、同じ時刻に「龍馬が全身朱に染んで血刀を提げてしょんぼりと枕元に立って居る夢」（『千里駒後日譚』より）を見ている。龍馬の死後、お龍は長崎・京都を経て明治元年（一八六八）七月、高知上町の坂本家に身を寄せる。

高知で暮らすお龍についての話はいろいろ残っている。お龍の生活態度が悪く、乙女が怒って高知から離れたという話もある。一方、お龍の妹・君枝と結婚した千里寅之助の姪・仲城仲子の話によれば、お龍は良い人だったともいう。

安芸郡和食村（現芸西村）へ来たのは初夏の頃だったが、お龍は二十八才の京美人であった。仲子を連れて毎日のように千屋の家から近くの山をかけずり廻っていた。龍馬が肌身離さなかった六連発の短銃で雀を打つのを楽しみにし、〝流れまかせに身は浮草のどこで花さくことでやら〟という小唄をよく唄った。お龍の念頭を離れなかったのは亡き龍馬のことで、「龍馬が龍馬が――」という言葉の出ない日はなかった。

龍馬とお龍は離れて暮らすことが多く、二人の文通が沢山残っていた。時々取り出して回想にふけっていた。お龍が土佐を去るとき、この手紙は人に見せたくないから、何んでもないもののやうに焼き捨てたので、今は一通の影も形もない。――土佐の人々は坂本のおばさんのことを、とかく云っているけれども、私はあんな良い人はまたとないと思ふ。

（昭和十六年五月二五日高知新聞所載、宮地氏前述書より転載）

お龍が土佐で暮らしたのは一年余りであった。土佐を去るとき龍馬からの手紙を焼き捨てたというが、お龍の土佐の人々への気持ちがわかる。龍馬への思いと土佐人への思いに矛盾があることに、土佐の人々は気がつくべきだ。焼き捨てた手紙が残っていたなら、幕末史の話題は一段と面白くなっていたと思う。

明治二年の夏頃、京都に戻ったお龍は龍馬の墓守で暮らそうとする。しかし、京都はかつての京ではなかった。龍馬とともに活躍した人物はほとんど東京で活躍していた。伏見寺田屋のお登勢の世話で、お龍は旧知の呉服屋西村松兵衛と横須賀で暮らすようになる。明治七年頃、松兵衛との間に男子が生まれ、お龍は西村ツルとして入籍している。

横須賀でのお龍の暮らしぶりについて、さまざまな話があるが真実は不明である。しかし、晩年のお龍は決して幸せではなかったようだ。明治三十年頃、お龍を訪ねて昔話を聞き出した人物がいる。安岡重雄秀峰である。この話は昭和六年（一九三一）になって『実話雑誌』九月号の「坂本龍馬の未亡人」で世に出た。

その時、お良さんは五十七歳。多少、頭髪に白髪は交って居たが、濃艶なお婆さんだった。丸顔で、愛嬌があって魅力に富んだ涼しい瞳の持主であったことを、私は今でも覚えている。

勿論、裏長屋に住む貧乏人だから、着て居る物は洗ひ晒した双子の袷で、黄の色の褪せたチヤンチヤンコを着て、右の足が少し不自由だったらしく、起居の挙動が達者な口と反対に、鈍かった。

私は長火鉢を隔てゝ、お良さんと差向ひになって、チビチビ酒を飲みながら昔話を聴いた。お良さんは、なかなかの大酒家だったから、私の持参した一升は、松兵衛さんの帰る迄に、一雫も残らなかった。

お龍は、明治三十九年一月十五日、横須賀の観念寺裏長屋で六十六年の波乱の人生を終えた。

第四節　江戸の女、千葉佐那

龍馬は女を裏切る男か、否か

龍馬には「妻」と称する女が二人いた。一人は結婚式も行い日本で初めての新婚旅行にも出かけたお龍である。もう一人は、龍馬が江戸で北辰一刀流を修行した千葉定吉道場の道場主の長女・佐那《さな》である。佐那は龍馬の北辰一刀流の修行を助け、幕末波乱の江戸での活動を支えた。龍馬に生涯を捧げ通し、墓石に「龍馬室」と刻み、永遠の妻の座を占めた。江戸にはこういう女がいた。

龍馬は幕末の江戸に六度行っている。最初は嘉永六年（一八五三）三月、剣術修行のため土佐を出て、安政元年（一八五四）六月に帰国する。この間、京橋桶町の北辰一刀流千葉定吉の門に入る。二度目は安政三年八月から同五年九月の帰国までで、千葉定吉から「北辰一刀流長刀兵法目録」を授かっている。三度目は文久二年（一八六二）三月に龍馬が土佐藩を脱藩し、西国九州を巡歴した後、八月に江戸に着き、千葉家に身を寄せている。

このとき、龍馬は佐那の兄・重太郎と勝海舟の家に押しかけ、時局について話を聞く。勝海舟の見識に惚れ込んだ龍馬は弟子となる。以後三度、勝海舟の手足となって江戸を往復し、幕末回天のため奔走した。

龍馬が千葉佐那に思いを寄せていたことを証明するのは、乙女姉に宛てた龍馬の手紙である。これは昭和六十年（一九八五）、龍馬誕生百五〇年を記念して公開された。面白いのは手紙の出だしである。「この話は人には言われんぞよ、すこしわけがある」と土佐弁で始まっている。

此人ハおさなというなり、本ハ乙女といゝしなり。今年廿六歳ニなり候。馬によくのり剣も余程手づよく、長刀も出来、力ハなみなみの男子よりつよく、先、たとへバうちにむかしをり候ぎんという女の、力料斗りも御座候べし。かほかたち平井より少しよし。十三弦のことよくひき、十四歳の時皆伝いたし申候よし。そしてゑもかき候。心ばへ大丈夫ニて男子などをよばず。夫ニいたりてしづかなる人なり。

この手紙を書いた日付は、文久三年六月十四日で、土佐藩から脱藩罪が許され、勝海舟の指示で大活躍する時期である。

龍馬は姉に、自分の思う女の幼名が姉と同じ「乙女」だと「ワクワク」とした気持ちで伝えている。また、初恋の人、土佐の平井加尾より器量もよく教養もあると褒めている。これは時がくれば夫婦となる気を伝えたようなものだと思う。それゆえ「この話は人には言われんぞよ」と、乙女姉に心を打ち明けたのであろう。

さて佐那の龍馬への気持ちはどうであったただろうか。佐那が死去する三年前の明治二十六年（一八九三）八月、雑誌記者山本節が北千住に住む佐那を訪ね、『女学雑誌』九月号に「坂本龍馬の未亡人サナ女史」を発表している。

……其の未来の所天《しよてん》（夫）なりし坂本龍馬氏亦《ま》た剣を千葉家に学び、熟《つらつら》女史（佐那）の人と為《な》りを観破《かんぱ》したりけん。女史の厳君《げんくん》（父・定吉）に就て伉儷《こうれい》（配偶）を求む。厳君の命に従ひ、且《かつ》天下静定の後を待って華燭《かしよく》の典を挙げんと謂ふ。厳君之を許し坂本氏亦之を諾す。

（『龍馬百話』より）

龍馬から婚約を求められた佐那は父・定吉に相談し、その命に従い、世の中が静かになったら結婚式を挙げようというものである。宮地氏によれば、双方は結納の品として千葉一族の短刀と、龍馬が松平春獄から拝領した桔梗紋服を取り交わしている。結納を交わしたのは、文久三年六月龍馬が姉・乙女に手紙を書いた前後ではなかろうか。ところが、一年後の元治元年（一八六四）八月には京都で楢崎龍ことお龍と内祝言をあげているのだ。

これは龍馬の佐那に対する背信行為だ。私は、龍馬は女を裏切る男ではないと確信しているが、この説明には相当苦労を要する。龍馬に代わって弁解するわけではないが、男の本能は「理性に生きる女性」と「本能に生きる女性」を同時に求めるものだ。しかし現実にはそんな女性は存在しない。

千葉一族秘伝の妙見の法力

最近、桓武月辰流の第二十四代宗家、千葉吉胤妙星氏に会う機会があった。詳細は第二章に譲るが、吉胤妙星氏が語る龍馬と佐那の関係はこれまでの龍馬論を根っこから変えてしまう。詳しくは終章を読んでいただきたいが、吉胤妙星氏の話を要約すると次のようになる。

「北辰一刀流は単なる剣術の流派ではない。平将門から続く千葉一族が、江戸末期に千葉周作に協力してまとめ上げた人間の生き方の道である。その極意は妙見の法力というもので、説明が難しいが、不思議な力を発揮する。佐那はそれを修得しており、婚約を済ませ千葉一族になるはずだった龍馬に教えた」

しかし、龍馬は佐那と結婚せず千葉一族にならなかった。千葉一族にしか伝えてはならない秘伝を龍馬に教えてしまった佐那は相伝の禁を犯すことになる。維新後、佐那は東京永田町にあった華族女学校、後の女子学習院の舎監の仕事を経て千住で「千葉の灸」という看板で治療院を開いた。

この千住という地名がなかなかに興味をひく。もともと武蔵千葉家が住んでいたということで「千住」という地名がついたといわれている。佐那は北辰一刀流の剣術や馬術、長刀の免許皆伝だけでなく、整体活法や妙見法術も体得し、治療も秀れ評判も高かった。

佐那が龍馬について語るきっかけになったのは、山梨の自由民権運動家・小田切謙明と妻・豊次との交友による。小田切謙明は「海州大権現」という宗教の主宰として知られ、自由民権運動家でもあった。自由党の幹部でもあり、板垣退助を師としていた。板垣は幕藩時代には土佐で「乾」という姓であったが、維新後、先祖・武田信謙部下であった板垣姓に変えた。

小田切謙明はひどい中風で、評判の「千葉の灸」で治療してもらうことになる。かねて板垣退助から坂本龍馬の話を聞いており、佐那から龍馬の話を聞き佐那との交友を深めていく。前述した『女学雑誌』の記事も小田切謙明の配慮によるものと思われる。同誌には佐那について、次のような詳細な記事が掲載されている。

聞く、女史は年齢五十又六を加ふと。されども女史の肉は肥えたり、肉色は沢々《たくたく》なり。額上未だ一波の皺《しわ》を生ぜず、鬢《びん》辺亦一茎の白を留めず。加ふるに挙止言語快にして活、之を以て一見すれば女史の齢は、其齢より十五乃至《ないし》二十以下に在るものの如し。顔は長面にして鼻筋は通り、口元は締れり。額の狭きは其幸福の少なきを示し、眼の威容あるは其の年少より武道に折肱《せっこう》せるを証せり。此日女史は髷《まげ》をコトジ結びとやらん云ふに束ね、白地の浴衣を穿《うが》ち、黒繻子《くろじゅす》の幅狭き帯を締め、極めて淡白なる装ひを為し居たり。

（『龍馬百話』より）

女性に甘え、育てられ、鍛えられ、助けられた

佐那は明治二十九年（一八九六）十月十五日、南足立郡千住中組（現在の東京都足立区千住仲町）で死亡した。小田切謙明は既に亡くなっており、未亡人の豊次が身よりのない佐那が無縁仏にならないようにと、甲府の日蓮宗青運寺（甲府市朝日町）にある自家の墓所に埋葬する。墓碑には「龍馬室」と刻み、佐那の冥福《めいふく》を祈った。

明治になって横須賀で暮らしていたお龍は、東京で発行された著名な婦人雑誌を見て、龍馬に思いをかけて婚約までした女がいたことを知り、嫉妬の鬼となる。それ以後お龍は機会あるたびに、龍馬の話として「龍馬は佐那を好かず取り合わなかった」と吹聴した。龍馬が佐那に「松平春獄公下賜の桔梗紋服」を与えていたことなどを知ると、お龍の嫉妬は罵声となった。

お龍は明治三十九年一月に、この世を去る。夫の西村松兵衛は、お龍の墓に「贈正四位阪本《ママ》龍馬之妻龍子之墓」と刻み、お龍の霊を鎮めた。

この章の執筆中、龍馬の夢をみた。「佐那には、わしの子がいたはずだ」と。どうなったか気にしている様子だった。数人の「龍馬オタク」に聞いてみたが、全員に笑われた。夢を追跡しようと思ったが、お龍さんに怨《うら》まれるのでやめることにした。真偽は夢のままにしておくことにする。

龍馬の短い生涯を概観すると、女性の存在ぬきにその活動を語ることはできない。歴史を動かした世界中の人物の中でも、龍馬のように女性に甘え、育てられ、鍛えられ、助けられ、そして女性を犠牲にした人物は少ない。その上で多くの女性に惚れられるのだから、こんな男冥《みよう》利《り》につきる人間は稀である。

幕末に生きた女性に共通しているのは、龍馬と関係のあった女性に共通しているように、しっかりして強い女性であるということだ。その原因は江戸時代の子女教育にあったのではないか。江戸末期、全国には約一万五千の寺子屋があったといわれている。大正時代の日本の小学校の数よりも多い。

日本では「男尊女卑」が社会の特徴といわれているが、幕末では女性の力なしに世の中は動かなかった。私の故里、土佐の幡多郡三崎村の寺子屋では、師匠を神官と医師が務め、女子の教材には「女大学」が使われたという記録が残っている。土佐の片田舎でこれだから、全国的にこのような女子教育が行われていたと思われる。「女大学」とは女子の修身や心得を仮名文で記したもので、内容は封建道徳が多かった。しかし、時代を超えた人間の生きる道もきちんと記されていた。

江戸時代の女子教育を賛美するわけではないが、敗戦後の女子教育には時代を超えた教えがない。人間が私有財産を制度として以来、男性優位の社会となり、女性がそれを支えることになる。その宿命から解放されようとする女性の潜在意識が、男性を育て、そして男性の犠牲になる。龍馬に縁のあった女性はそうした生き方をした。時代を変えたのは龍馬ではなく、龍馬のために生きて、この世を去った女性たちであったといえる。

第二章　龍馬を変えた「北辰一刀流」

第一節　剣道は人間を変身させる

武道とりわけ剣道は人間を変身させるものである。私はその実例を三島由紀夫氏に見た。三島由紀夫氏との最初の出会いは、昭和三十三年（一九五八）で、私が法政大学大学院の政治学のコースに在学中の頃であった。原水爆禁止運動の提唱者で知られていた私の指導教授、安井郁氏が太平洋戦争中に東大で教えたのが三島由紀夫氏であった。安井教授はしばしば東大時代の教え子を荻窪の自宅に集め、政治・経済・文化などについて自由な論議をやった。私も時々誘われ、三島氏の話を聞き影響を受けた。

当時よく話題になったのが、毛沢東の『矛盾論・実践論』であった。聞けば、戦時中も安井ゼミではこれを教材に使ったという。ゼミのメンバーであった三島氏も熱心に学んでいたそうだ。私も同じ教材で勉強した。

当時三島氏は進歩的文化人の一人として活躍しており、松川事件の裁判批判などで鋭い論評を行っていた。陽明学の「知行合一」発想が、私の故里で発祥した「土佐南学」に通じていて、大いに共感するところもあった。論理的で説得力のある三島氏に憧れを抱いた。

その後十年ぐらい経った昭和四十一年の秋、私が衆院事務局に勤めるようになり、園田直・衆院副議長の秘書を務めていた頃、三島氏と再会した。ある夕刻、衆院警務部の道場で、剣道六段で知られる園田副議長が練習していたところへ突然、三島氏が現れたのである。園田副議長に剣道の指導を受けにきたという。私はその奇遇に驚いた。

このとき、三島氏の思想や信条が十年前とすっかり変わったと感じた。かつて「健全な市民社会をつくりたい」と話していた彼が、天皇中心の国家の再生を唱えている。思想が変わったことの理由を聞くと、三島氏は「剣道が自分を変えている」と静かに語った。

私は武道を知らずに育った世代である。敗戦の昭和二十年に十一歳だった私は、剣道・柔道など武道が軍国主義の復活となるとの占領軍の指令で禁じられていた。三島氏の話はまったく理解できなかった。

園田副議長は三島氏に「芳賀流」の居合抜を指導することになる。これは居合術でも、もっとも激しく過激なものであった。精神の全てを投入しなければ成就できない技であった。それを修得すればどうなるか気になっていた。それが四年後の昭和四十五年十一月二十五日の東京市ヶ谷・自衛隊総監部でのクーデター失敗であった。

衆院事務局委員部総務課にいた私はラジオの臨時ニュースで事件を知り、直ちに園田氏に電話した。園田氏は声を出す力もなく驚いた。夕刊各紙は三島氏が蜂起に失敗し割腹した写真を掲載した。ショックを受けたというどころではなかった。青春時代の思い出が胸中に湧き出してきた。

何故、三島由紀夫氏がこうなったのか。どう考えてもわからなかった。一日中仕事が手につかなかった。友人を誘い門前仲町の居酒屋「魚大」で大酒をあおり、泥酔して帰宅した。朝方、恐ろしい夢を見た。三島由紀夫の生首が、私の枕に飛んできて話しかけてきたのである。「剣道が私を変えた。後を頼む」と。この夢で大声を出して目を覚ました私に、妻は「どこか病気ですか」と声をかけてきた。

その後、三島氏について調べているうちに、剣道に魅せられていく少年を描いた小説『剣道』を知った。昭和三十六年頃の作品である。これで「剣道が私を変えた」という三島氏の言葉に納得した。もうひとつの「後を頼む」については、武力クーデターによる方法でなく、健全な市民社会による「政権交代による議会民主政治」の実現を目標にしていくことを心に誓った。

ところで坂本龍馬だが、龍馬の先見性、先を見抜く能力を表す話として、「剣の時代にピストルを持ち、ピストルの時代になると万国公法を持った」と言われている。この話のせいか、土佐では「小栗流」、江戸では「北辰一刀流」を修得し、一流の剣士でありながら、多くの龍馬論には龍馬の思想信念の形成や人間力の向上に、剣術修行の影響が軽視されている。本章で三島由紀夫氏の言葉をヒントに、龍馬の変身は北辰一刀流の「絶妙剣」に代表される「妙見思想」にあることを述べることにする。

第二節　落ちこぼれの龍馬、剣術に目覚める

十四歳で日根野道場に入門

龍馬が幼少期にどうしようもない落ちこぼれだったとはよく知られている。改めて龍馬研究の先駆者、千頭清臣の『坂本竜馬』（東京博文館）を見てみよう。

> 初め龍馬は怯懦《きょうだ》にして、暗愚なるが如く、居常寡目《きょじょうかもく》、十歳を過ぎても夜溺《よばれ》（寝小便）の癖止まず、隣人称して濤垂《はなたれ》という。十二歳の時、始めて市外小高坂楠山某の学舎に入りしも、業進まず通学の途上、屢《しばしば》学友に揶揄《やゆ》せられ泣きて家に帰る。

ここまで少年期をぼろくそに言うこともないと思うが、事実だから仕方がない。この龍馬が幕藩体制を壊すことになるのだから、人間とは不思議だ。何故こう変身したのか、その要因は二つある。ひとつは、第一章で述べたとおり「女性の力」である。龍馬を取り巻いた全ての女性が、龍馬を変えたのである。もうひとつが剣術である。北辰一刀流の妙見思想が龍馬を変身させたというのが、私の龍馬論である。

龍馬が剣術を始めるきっかけとなったのは、寺小屋の楠山塾で上士の子供が刀を抜き斬りつけようとしたのを、龍馬は手元にあった文庫箱の蓋でもって防いだという話だ。さほど敏捷でない龍馬が、どうしてこういう対応ができたのか。危機に対する精神の集中力が素質としてあったとの見方がある。生まれ育った裕福な家庭の状況と、身分差別社会の厳しい現実の矛盾に、龍馬が目覚めたのだろう。十二歳にもなれば、封建社会の中での自分の立場が、おぼろげにでもわかる。

楠山塾をやめた龍馬は、乙女姉から寺子屋代わりの特訓教育を家で受ける。千頭清臣によれば、「乙女、龍馬を愛撫して倦まず、怯《きょ》を矯め、勇を励まし、以て其の性情を一変せしめたり」（『坂本竜馬』より）ということになる。

乙女姉は龍馬を文武両方で鍛えた。また長姉・千鶴の夫で、安田村で暮らす高松順蔵の影響も大きい。郷士《ごうし》ながら漢籍、絵心だけでなく長谷川流居合術の達人であった。龍馬は遊びに行くごとに順蔵に憧れを抱く。

そんなとき、病弱の母・幸が亡くなった。十二歳で母を失い大きなショックを受けた龍馬を、乙女は叱咤《しった》する。一年を経て父・八平は後添えに伊与を迎える。亡き母を慕う龍馬には、継母・伊与に馴染むのに時を要すが、乙女姉と継母・伊与の厳しい躾のなかで、龍馬は自分の生きる道を考えるようになる。嘉永元年（一八四八）、龍馬は日根野弁治剣術道場に入門する。十四歳となっていた。

日根野道場といえば、その実力は土佐では知られており、道場主の日根野弁治は高知城下でナンバー・ワンの達人であった。郷士の家に生まれ、日根野家の養子となったことから、門弟には郷士や足軽などが多く、荒っぽい稽古で有名であった。そんな荒道場に「坂本の洟ったれ」が入門することになったのだ。

日根野道場は剣術は小栗流、剣法は柳生流で知られており、居合術、和術、槍術、棒術、太刀、小太刀、刀柔組討ち、騎射、水練、水馬など武芸全般を教えていた。龍馬は道場で徹底的に扱《しご》かれるが、弱音を吐くことはなかった。徐々に剣術に自分の生きる道を見つけるようになる。

十八歳で江戸に憧れ、十五カ月間の国暇へ

剣の道に目覚めたものの世の中の変化には特別に関心がなかった龍馬が、うだるような真夏に土佐を訪れたある剣客に強い関心を持った。筑後柳川藩大石神影流・大石進が、寺田忠次道場の招きで高知城下を訪れたのである。

十八歳になっていた龍馬は寺田道場に駆けつけて、門弟たちと剣客・大石進の話を聞く。

「剣を志すなら一度は江戸に出てみるべきだ。井の中の蛙になってはいかん。江戸には恐ろしい流派がいくつもある。次々と強い剣士が出てくるところだ……」

この話を聞いた龍馬は、何がなんでも江戸へ行ってみたいと思う。どうしても江戸で剣術を学びたいと、龍馬はまず乙女姉に打ち明けて相談した。龍馬の夢をなんとか叶《かな》えてやりたいと、乙女姉は父・八平に話を持ち出す。当時、土佐から江戸を往復して一年間遊学するのに、約百両の経費が必要であった。相当の資産がなければ不可能である。父・八平の許しが大前提となる。龍馬も必死に懇願するうちに、八平は龍馬の剣術に生きる決意を知って、日根野道場の日根野弁治道場主に相談した。

日根野道場主は、かねてから龍馬の剣術への才能を感じていた。当時、北辰一刀流が江戸で著名な道場であったことは知られているが、日根野弁治に何か特別の思いがあったかはわからない。いずれにせよ日根野弁治は北辰一刀流の千葉定吉《じょうきち》道場を龍馬に紹介し、それが龍馬を

国家的英雄に育てる原点となる。

父・八平は土佐藩の関係者に十分な根まわしを行ったうえ、主家にあたる家老の福岡宮内を通じて龍馬の江戸修行を願い出た。日根野弁治は龍馬に、これまでの精進を評価し、小栗流初伝「小栗流和《やわら》兵法事目録」一巻を手渡し、江戸での修行を北辰一刀流千葉定吉道場とすることを伝える。

剣術修行のため土佐藩から江戸で十五カ月間の国暇《くにいとま》を許された龍馬は、嘉永六年（一八五三）三月十七日、高知城下を出発した。父・八平は龍馬の門出に、「修行中心得大意」を手渡した。

修行中心得大意

一、片時も忠孝を忘れず、修行第一の事。

一、諸道具に心移り銀銭を費さざる事。

一、色情にうつり、国家の大事を忘れ心得違ひあるまじき事。

右三ケ條胸中に染め修行をつみ目出度帰国専一に候。以上。

丑ノ三月吉日　老父

龍馬殿

龍馬に江戸での剣術修行をさせる判断が、父・八平になければ龍馬は天下を動かす人物にはなり得なかった。

龍馬の父・坂本八平直足は、元の名を山本常八郎といい、潮江村の白札（上士と下士の中間的存在）の山本家から坂本家に養子に入った。弓槍は免許皆伝で、学問は万葉学者の鹿持雅澄に師事し、歌書にも秀れていた。八平の叔父・宮地順吉右衛門信良は、土佐藩唯一の弓術家であった。武芸の血筋は龍馬にも流れており、何時開花するかという時間の問題であった。

第三節　北辰一刀流の奥儀

嘉永六年（一八五三）三月十七日、高知城下を出発した龍馬には、溝淵広之丞という同行者がいた。江ノ口村の生まれで龍馬より七つ年上、江戸での修行の経験があったため、父・八平が付き添えにしたという。龍馬は幸せな男だ。一カ月余の旅を経て、二人は四月下旬、江戸に着く。鍛冶橋門内の土佐藩邸の長屋で暮らすようになった。そして京橋桶町にある北辰一刀流・千葉定吉道場での修行が始まった。

北辰一刀流の開祖は千葉周作（寛政六～安政三）（一七九四～一八五六）で、神田お玉ヶ池・玄武館が道場であった。弟の千葉定吉道場が桶町にあり、門弟は合わせて三千人にのぼった。この北辰一刀流との出会いがなければ龍馬は、日本を変えることができなかったと私は確信している。

龍馬は二度にわたって江戸で修行している。

一度目は嘉永六年から安政元年（一八五四）、二度目は安政三年から安政五年である。この二度目の江戸修行で、千葉定吉より北辰一刀流長刀兵法目録一巻を授かることになる。

千葉定吉が龍馬に授けた「北辰一刀流長刀兵法、一巻」（免許皆伝）の目録のうち高知県が入手したものが公開されている。その伝授文言を整理すると、「北辰流」を千葉常胤が創設し、十一代目の千葉道胤が「北辰夢想流」に発展させ、修得した一刀流を合法して千葉周作が「北辰一刀流」を開宗したということになる。

千葉常胤は鎌倉時代の武将で、下総権介や守護職であった。源頼朝が石橋山の戦い（治承四年・一一八〇）で敗れたのを助け、鎌倉幕府をつくることに尽力した中心人物である。常胤は元永元年（一一一八）五月、上総国大椎（現在の千葉市緑区）に生まれ、建仁元年（一二〇一）三月に世を去っている。

龍馬と「北辰一刀流」の関係について強い関心を持つ私は、この千葉常胤にも関心を持った。私は昭和五十四年（一九七九）から千葉県東葛飾郡沼南町大津ヶ丘（現柏市）に住んでいる。

東葛飾地域には古くから平将門伝説が残っており、千葉常胤は将門一族の子孫にあたる。そして江戸末期、妙見信仰に熱心で「北辰一刀流」を開宗した千葉周作が、東葛飾地域の松戸に住み北辰一刀流を創設したことで知られている。

なんとか千葉一族か「北辰一刀流」に詳しい人物はいないものか。この地域に知人の多いF氏に尋ねたところ、「古式柔術や家伝の活法などを教えている千葉吉胤妙星氏が、千葉一族の子孫で親しい仲だ」と紹介してくれた。

千葉吉胤妙星氏と会って名刺を交換して驚いた。そこには、

房州千葉家伝妙法古式柔術活法療術
恒武　月辰流
第二十四代宗家　千葉吉胤妙星

とあった。私は夢の中にいる気持ちであった。二十四代目と名乗る人物に会えたのだ。

「坂本龍馬が天下回転に活躍できるきっかけに、北辰一刀流の何かが影響しているのではないか。知られていない北辰一刀流の何かが龍馬を変身させたと思うんですが」と来訪の趣旨を伝えたところ、次のような答えが返ってきた。

「私の祖先は宗家九州千葉で、鎌倉時代に源頼朝より九州各地に所領をもらい、その後、蒙古の襲来に対する出陣で定住するようになったのです。戦国時代の混迷を鍋島や黒田の家臣として生き延び、江戸時代末期に江戸に来ました。そこで北辰一刀流を開宗した千葉周作らを支援しながら、千葉一族の発展に尽力したようです。私の曽祖父は龍馬ともおおいに接点があり、千葉家伝の妙見兵法の相伝者で周作の北辰一刀流にも影響を与えています。

実は今夜、私の柏の道場で家伝の活法整体術の指導をすることになっています。よろしければ参加してみませんか」

その夜、指定された道場に顔を出すと、驚いたことに関東地域で名の知られている柔整師、指圧師、整体師など専門家ばかり二十数名が整体術の奥儀の講義と実践を学んでいた。私は千葉吉胤妙星道場主の話に、眼の前の瘡蓋《かさぶた》が落ちる思いであった。剣術も柔術も護身術も、そして整体術による治療も、極意はひとつだというのだ。

「千葉家伝の妙見兵法の極意のひとつに〝絶妙剣〟がある。例えば刀を抜いた瞬間、相手に斬られたという意識を持たせることだ。整体治療も同じで、治療を始める直前に患者の潜在意識に治るという神経反射作用を持たせることだ」と語り、護身術や整体術などで事前に相手の潜在意識にどう関わるかを実際に体験させてくれた。

「龍馬は〝北辰の極意である妙見の秘術〟を知ったのだ」と私は叫んだ。ようやく龍馬が変身できた理由が見えてきた。龍馬は二度目の江戸修行で北辰一刀流の長刀の皆伝を受けて土佐に帰ると、人間が変わったように活動を始める。そして脱藩する。

脱藩後の龍馬は素浪人ながら、松平春獄や勝海舟をはじめ幕閣の重職にあった要人、雄藩の重要人物と臆することなく渡り合い、議論し説得して人間力を発揮する。この人間力の背後には北辰一刀流の〝秘術〟の修得があったからではないか。私は新しい「龍馬像」を見つけた思いであった。

「どのくらい修行すると〝千葉一族の秘伝の極意〟は修得できるのですか」

と問うと、千葉吉胤道場主は、

「北辰一刀流は他の流派と違って、最初にある程度の極意を教え、その上で時間をあまりかけずに実践修行で修得させたようです。修得できるかは修行する人間の感性によってさまざまです。月辰流や北辰一刀流は武術の流派だと思われていますが、本旨は人間が生きていく知恵の出し方で、その本質は妙見信仰にあるんですよ。ただし、本当の秘術は除去されていますす」

そういえば、龍馬の許婚・千葉佐那は明治時代になって、東京の千住で治療院を開き、千葉家伝来の整体や灸で人々を助けていた。妙見兵法である北辰一刀流による人間力の治療であった。

「相手の潜在意識に入りこみ、こっちの意思を生かしていく。〝妙見の術理〟は脳の修行であり、人間力強化の教育に使える。ビジネスや企業の経営にも使える。選挙や政治の運営にも活用できる。これを世の中に出しましょう。〝龍馬の妙見の法力〟として」

と私が興奮気味に言うと、吉胤道場主は、

「龍馬が修得したのは〝北辰による妙見の法力〟だけではありませんよ。もっと重要で不思議なものがあるんです。次の機会に、北辰一刀流・月辰流・妙見そして龍馬について語り合いましょう」

この語り合いで私の推測を超える驚愕《きょうがく》の事実を知ることになる。その詳細については終章をお読みいただきたい。

第四節　北辰一刀流・月辰流のルーツ

妙見信仰と北辰信仰

龍馬の免許皆伝伝授文言の末尾にある「家伝北辰流千葉之介常胤」の意味は、常胤の時代すなわち鎌倉幕府創設期に「北辰流」が存在したことを示している。もしくはその原形があったと思われる。文献上わかるのは、常胤の子孫で念阿弥慈音《ねんあみじおん》和尚という人物が、日本古武道の源流のひとつである「念流」（馬庭念流）の開祖であるようだ（千葉氏顕彰会編『千葉氏探訪』千葉日報社）。

この念阿弥慈音和尚は、千葉常胤の次男・相馬師常の子孫である相馬忠重の子で、四郎義元という武士であった。出家して時宗を学び、京都の鞍馬寺などで修行し、鎌倉寿福寺で臨済禅を学んでいたとき、中国から渡来した〝神僧〟と呼ばれた大鑑禅師に剣術を習う。その後、信州浪合の里に隠棲《いんせい》し、摩利支天を勧請し剣の修行を重ねて念流を考案したという。念流の真髄は「仏の力を得て人を殺すための剣ではなく、人を生かすための剣」であった。

念流とともに千葉一族から出た流派に、「香取神道流」がある。開祖は千葉一族の飯篠長威《いいざさちょうい》斎家直《さいいえなお》である。武士を捨て香取神宮に参籠《さんろう》し、千日で神威を受け剣道の修行に励み神道流を開いたといわれる。剣術だけでなく居合術、薙刀術、槍術、棒術、柔術、手裏剣術、忍術、築城術、軍配法、天文地理学など兵法を総合した流派であった。

家直は信仰に厚く、経津主命、妙見菩薩を信じ密教も学び、神道流の体表に活用した。その究極は「自分自身の心を落ち着かせ、さらに相手を落ち着かせて、勝負させないようにする」ことで、人間を生かす道を求める狙いがあった。家直の弟子から鹿島新刀流の開祖・塚原卜伝が出る。

利根川両岸の千葉県と茨城県は、現代において、大東京にのみ込まれ文化的植民地となりはてているが、古代から中世にかけては東日本文化のメッカであった。そこで古武術が形成発展したのである。千葉一族ではないが、房総随一の剣豪小野派一刀流の小野忠明も忘れてはならない。徳川幕府の指南役になるが、房総人の不器用さのため旗本で終わった。

房総で生まれたこれらの古武術とは別の東北千葉家の兵法を進化させたのが「北辰一刀流」であった。それは千葉周作の開眼によって江戸末期に完成するのである。千葉周作がいかなる人物であったのか、検証しなくてはならない。

千葉周作は、岩手県気仙村に生まれた。先祖は東北千葉氏の支流、今泉城主・千葉重胤といわれている。現在の岩手県陸前高田市にあたる地方だ。周作の父・成胤は奥州を離れ千葉の松戸に定住して、医業を営むようになる。松戸といえば東葛飾地域の宿場町であり、古くから千葉一族と深い関わりのある場所だ。周作が十六歳頃だといわれているので、文化六年（一八〇九）頃のことである。

周作は松戸で二十七歳頃まで暮らし、小野派一刀流を浅利又七郎に、中西派一刀流を中西忠兵衛に学んだが、これらの流派にあきたらず、剣術修行の旅に出る。各地で旅に明け暮れながら、千葉一族の守護神「妙見菩薩」への信仰を深めていく。周作が妙見菩薩を信仰し始めたのは、宮城の古川で幼少期を過ごした頃、妙見を祀《まつ》っている斗《と》蛍《けい》稲荷神社が近くにあったからだといわれている。妙見信仰といえば、千葉・房総の祖先の地が本拠地だ。ここで「北辰一刀流」

を開眼することになる。

そこで「妙見」と「北辰」について、述べておく。「妙見」とは妙見菩薩の略で、サンスクリット語でスダルシヤナ（蘇達利舎菟）という。北極星の本地仏で、国土を守り、災を消し、敵をしりぞけ、人の福寿を増益する菩薩である。信仰のルーツはインドにあるといわれている。仏教では北極星を「北辰尊星」といい、北辰とは北極星のことである。「妙見」の名づけは三井寺の開山智証大師が「星宿の王は尊星王なり、尊星王をもって妙見と名づく」と言ったことに始まるといわれている。

宮中では三月三日と九月三日の両夜に、天皇自ら北辰に灯を供える行事を行っているが、日本にいつ頃どのように入ってきたか不明である。人類が星を信仰する歴史は古く、移動を本能とした古代の人類が、移動の方向を正確に知るためには、不動の星「北極星」を頼りにしたと考えられる。

古代から関東の地に住む星を信仰する人々

私が住んでいる千葉県柏市大津ヶ丘というところは、平成十七年（二〇〇五）の自治体合弁までは、千葉県東葛飾郡沼南町といった。ここは将門伝説の地で、滋賀の大津にちなんでつけられた地名である。近くの大井地区には、将門の七人の影武者といわれる者たちの子孫が住んであり、古くから妙見信仰で知られている。また、将門の第三夫人「車の方」が住んでいたといわれる所に祠《ほこら》がある。近くの福満寺の長老・伊原慧純氏によれば、将門は福満寺の妙見菩薩を信仰し、大井地区の井堀内では将門に関係のあった子孫が、現在でも密やかに「妙見講」を続けているとのこと。

利根川の対岸には、将門伝説で知られる守谷がある。その守谷の利根川をはさんだ柏市側に布施弁天がある。空海が嵯峨天皇の勅命で国家護持の勅願所として建立したもので、将門はその妙見菩薩も信仰していた。

利根川の両側に広がる関東平野には、各所に鉄器と馬の飼育に優れた人たちが、独自の文化を形成していた。彼らのルーツは騎馬民族で、妙見信仰を日本に持ち込んだひとつの流れだと推定する。それ以前に海人族が黒潮で星信仰を土佐に上陸させ、列島を太平洋上に北上し房総から関東に入ってきた説がある。

司馬遼太郎はこの世を去る数年前、「関東の利根川流域には、古代、大和文化とは異なる優れた独自の文化があった。これが歴史の中で封印され消された。これを世に出すことをこれからの課題としたい」といったようなことを、しばしば語った。大和朝廷は成立した直後、九州の防衛に関東の人たちを徴用し、防人《さきもり》として駆使した。司馬大先生が指摘するように、利根川・筑波山麓・鹿島・香取に至る地域には、不思議な雰囲気を漂わせる文化がある。

この地で承平五年（九三五）、平将門は乱を起こす。「将門記」では新皇と称し天皇に代わろうとしたと、反逆者として扱われている。私は古代から関東の地に住む星を信仰する人々が、腐敗した平安貴族政治を改革しようと起こした運動ではなかったかと思う。古代の星信仰の人々や騎馬民族をルーツとする人々は妙見信仰の中に、自分たちの生きる道を求めたのではないか。

妙見信仰は北極星を宇宙の柱とし、これを神仏として信仰することで、天災地変を防ぎ人間の幸せを護る菩薩であると信仰した。大和朝廷そして平安貴族政治から収奪の歴史を続けられてきた関東の民は、妙見信仰の人間の平等と幸せを実現するため、将門を活用したのが「将門の乱」であった。同じ時期、龍馬や私の故里四国では将門の友人・藤原純友が反乱を起こしている。これも改革運動であった。

将門の乱は失敗に終わったが、将門を支えた妙見信仰の人たちは、さらに所領を広げ一部は北へ北へと移っていく。千葉県から岩手県南部まで、山間の寺や神社に妙見菩薩をまつり、現在でも庶民の間で妙見信仰が生きているのに驚かされる。全国でも人々の心に妙見信仰が生きていることに驚かされる。

北辰一刀流の奥にある妙見思想に影響され

将門が改革（乱）に失敗し、この世を去ったのは天慶三年（九四〇）である。それからおよそ二百四十年を経て源頼朝は鎌倉幕府をつくることに成功する。頼朝を支えたのが房総で歴史の動きを待っていた千葉一族の要である千葉常胤であった。そして東北各地で潜んでいた千葉一党も立ち上がって鎌倉幕府を成立させたのだ。この人たちは将門一族の子孫・末裔《まつえい》であった。

鎌倉幕府の歴史的性格について、日本史学者の認識に問題があると私は思っている。それは平安貴族政治まではわが国は中国文化のコピーであった。鎌倉幕府の成立で初めて主体的日本文化が形成されたと見るべきである。そして不十分とはいえ、血縁社会が働く力のある者を起用する社会へ改革されたことに、鎌倉幕府が成立した意義があったと思う。その思想の奥に千葉一族の妙見信仰があった。妙見信仰は宗派として独立はしていないが、神道としてまた仏教の各宗派の中に生きている。

鎌倉幕府に貢献した千葉一族も歴史の中で、天正十八年（一五九〇）豊臣秀吉の小田原征伐を機に、北条氏とともに離散していく。一族は常胤を祖として、現在でも支流ながらも千葉常胤の子孫を誇るため、男子の名に「胤《たね》」の文字が使われていることがある。

さて、千葉周作が北辰一刀流を開眼し、全国に広めるにあたっては、周作一人ではなしえないことだ。千葉一族挙げての協力があったのではないか。とすると、千葉一族に何か大きな国家的思いがあったのではないかと、私は推定する。

龍馬の北辰一刀流皆伝書には、一刀流に北辰流（千葉常胤）と北辰夢想流（千葉道胤）の両伝を併合したのが北辰一刀流であるとされている。それは妙見信仰という思想と精神と肉体の合一であった。北辰＝北極星という不動の恒星と、その惑星である北斗七星の動きの中に、剣の奥儀を見出そうというものだ。

北極星は天の北極近くにある輝星である。人類は方位を知るためこの星を信仰し活用した。人類はこの星の存在で、誤りのない移動を可能とした。そして宇宙の柱のひとつとして人類の文化を育んだのだ。北斗七星は「斗《ひしゃく》」の形をした七つの星である。古代から斗柄《けんさき》のさす方角で時刻を測り、季節を定める星であった。仏教ではこれを祀れば、天災地変を未然に防ぐことができるとしている。北斗曼荼羅を本尊とする北斗法は、密教の最秘法といわれている。

北辰一刀流は、このような宇宙の法則といえるものを、剣術の中だけでなく世の中で、人間の中で実現しようとするものであった。他の流派にない精神を必要とした。幕末の日本が混迷を深める時期、千葉一族がこぞって北辰一刀流なる剣術を表にした政治運動を始めたのではないか。将門から始まる国家改造運動、千葉一族の支援による鎌倉幕府の樹立を歴史の中で検証した場合、将門の神霊は幕末の日本に新たな仕掛けをしようとしたのではないか。

幼少から落ちこぼれで知られていた龍馬は、ようやくにして剣術の道で生きることを知り、日根野道場で修行に励むことになる。体力の成長とともに徹底的に力と闘志で相手を攻める剣術を修得していた。北辰一刀流で知られる京橋桶町の千葉定吉道場で修行を始めると、さまざまなとまどいがあった。「一刀から万刀に変化し一刀に返る」という、硬と軟の思考を統一させる剣術に慣れるのは容易ではなかった。

何故、土佐での師・日根野弁治が、龍馬に北辰一刀流を学ばせようとしたのか。龍馬はこれを考えていたところ、師の大声を思い出した。

「龍馬、剣の奥儀は無心になることだ。相手を倒すことではない。お前、無心になれるか」

龍馬は、徐々に千葉定吉の教えを理解していくことになる。

「剣の道は理と技を求めるにあり、理を知りては技を求め、技を研いては理を求めよ」（『竜馬外伝（2）』より）

龍馬の千葉定吉道場での修行の目的は、強い剣士となって、高知城下で道場を開くことであった。しかし、北辰一刀流を二度にわたる江戸修行で学ぶうちに、龍馬は北辰一刀流の奥にある妙見思想の影響を受けていく。千葉道場には全国から剣士たちだけでなく、幕末の混迷を利用する壮士たちが集う。豊富な情報の中で龍馬は世の中を知り人間を知る。封建社会が北辰（宇宙）の原理に反することを龍馬は知るようになる。北辰の神が龍馬に移っていく。

第五節　龍馬の脱藩が日本を変えた

攘夷か、それとも開国か

幕末とはいえ、人間が幕藩という封建体制でがんじがらめになっている時代。わかりやすくいえば移動の自由のない藩という刑務所に入れられているようなとき、脱藩するのは密出国するようなものだ。坂本龍馬は一年十カ月の間に二度も土佐藩を脱藩している。脱藩すれば家族はもちろん、一族郎党に罪が及ぶ。普通の事態では考えられないことだ。脱藩に至る龍馬の思想と行動は十分に検証されなければならない。

まず事実関係から見てみよう。最初の脱藩は文久二年（一八六二）三月である。龍馬は二十八歳、暗殺される五年前だ。第一回の江戸剣術修行から土佐に帰国したのが、安政元年（一八五四）六月、二十歳であった。高知城下で道場を開きたいというレベルの発想しかない素朴な剣士だった。

その龍馬が脱藩という重罪を犯してまで、日本国を変えたいという思想にまで精神を醸成させるに、八年という歳月が要った。高知城下に帰った龍馬は、恐らく悶々としながら毎日を過ごしただろう。それを打ち破ったのが、安政元年の安政南海地震であった。父・八平が病気となり、その対応を義兄と相談する中で、河田小龍《しょうりょう》と会うことを勧められる。

河田小龍とは、米国から鎖国の日本に帰ったジョン万次郎からの、海外情報についての聞書『漂巽紀略《ひょうそん》』を執筆した人物である。龍馬が小龍から受けた影響、海外への開眼とデモクラシーへの関心などについては第四章で詳述する。大型西洋船を建造して、万次郎のように世界の海に乗り出すという夢は、父・八平の死で幻となった。安政二年十二月であった。

龍馬は遠縁にあたる武市半平太から大きな影響を受けていた。幕藩体制のほころびの中で、天皇を中心とする国家の存立すなわち攘夷も必要だが、それだけで日本国が守れるのか。小龍のいう西洋諸国に対応できる体制、すなわち開国して大型西洋船を建造して貿易を行い、西洋式国防策を取り入れるべきではないか。この両論の狭間で悩んでいた。龍馬が二度目の江戸修行を決断した動機を、龍馬研究者たちは単純に剣術修行としているが、それだけであろうか。父の死が龍馬を大きく変えていく。

確実にいえることは、北辰一刀流の免許皆伝を得ることが目的であったことである。北辰一刀流の思想を剣術という実技から学び、攘夷か開国かという対立を、どう統一させるか。そのヒントを学ぶため、再び江戸で修行する気持になったと私は推定する。これを証明するものはない。しかし、龍馬の信条の奥底、すなわち潜在意識は、霧の中で日本国や日本人の行方を、北辰＝北極星の動きの中に見つけようとしていたのだ。愛する佐那とともに……。

大混乱の幕政の下で

安政三年(一八五六)八月、龍馬は藩から一カ年間の江戸での二度目となる剣術修行を許され、高知城下を出立《しゅったつ》する。武市半平太は龍馬より数日早く江戸に向かっていた。江戸では武市半平太は桃井道場の塾頭となり、大石弥太郎らと勤王運動の指導者となっていく。龍馬は彼らと親交を深めながら、千葉定吉道場での修行に励んでいく。安政四年九月には江戸修行の期限が切れたが、更に一年間の延長を許可される。翌五年一月には千葉定吉より「北辰一刀流長刀兵法」の免許皆伝を受け、九月には江戸修行満期となり帰国する。

龍馬が二度目の江戸修行の時期、日本国は日米修好通商条約をめぐって大混乱を呈していた。龍馬が初めて江戸修行にきた嘉永六年(一八五三)は、ペリー米艦隊が浦賀に来航、開国を要求、日本中が攘夷か開国かで大騒ぎとなった年であった。このとき江戸の混乱を体験した龍馬は土佐藩の下士として、台場の砲台造成にかり出される。万次郎は幕閣で開国を訴える。幕府は安政元年三月、「日米和親条約」を締結することになる。この条約は、米船舶の下田函館寄港、薪水食糧購入、漂着米国人の保護、最恵国条款《じょうかん》などを定めたものであった。

安政三年七月には、米国はハリスを駐日総領事として派遣し、下田に駐在することになる。ハリス総領事は、幕府に通商の自由・通貨の交換などを要求し、安政四年十二月には江戸城で将軍徳川家定に米大統領親書を提出した。幕閣は攘夷運動が高まるなか、諸大名に対応を諮問《しもん》し、年明けの安政五年一月にはハリス総領事と日米通商条約交渉を始める。

ところが、朝廷は幕府の条約交渉を勅許《ちょっきょ》せず、朝廷と幕府の間で抜き差しならぬ対立が生じる。背後には将軍継承問題がからみ、また幕政の限界を示す難問が山積していた。幕府は彦根藩主井伊直弼《なおすけ》を大老に起用し、七月、江戸湾上でハリス総領事と日米修好通商条約などを無勅許で調印した。その内容は、公使・領事の交換、下田・箱館のほか神奈川・長崎・新潟・兵庫の開港、貿易の自由、領事裁判権などであったが、関税自主権などもなく、不平等な条約であった。

幕閣では八月になって水戸の徳川斉昭らが、無勅許条約をめぐり井伊大老の責任を詰問する。これに対抗して井伊大老は、病身の将軍家定の後継に紀州藩の徳川慶福とすることを決め、幕府の方針に抵抗する徳川斉昭を謹慎、徳川慶恕・松平慶永を隠居・謹慎とした。九月に入り朝廷は条約の無勅許調印に賛同した大名の処分を行うよう幕府に要求し、尊王攘夷運動が盛り上る。十月に入って安政の大獄が始まる。

この激動の幕政混迷の中、二カ年の江戸修行を終えて、龍馬は九月三日土佐に向け江戸を出立する。安政三年から同五年、江戸で幕政の混乱を実感したはずだが、この間の龍馬の思考を知る資料はほとんど残されていない。前後二度にわたる江戸修行について、『竜馬がゆく』や『坂本竜馬』の小説では、桂小五郎との交流があったこと、江戸の代表的剣客との剣術勝負が、いろいろと物語られているが、事実かどうか判定する能力は私にはない。

龍馬が必死で北辰一刀流の修行に励み、佐那から「妙見の法力」を教わり、千葉定吉道場を代表する剣術家に成長したことだけは事実である。国論を二分する攘夷と開国の政治闘争が展開する江戸城下で、龍馬は何の影響も受けないはずはない。攘夷とは外敵をうちはらうことである。諸外国が日本を侵略してくる可能性がある以上、剣術など武道と若干の砲術で対抗するしかない。日本に開国通商を要求する諸国に武力で対抗することは不可能である。日本が諸外国と同じように活動するために何が必要なのか。開国が必要となる。

尊王攘夷と佐幕開国を対立させたままで、日本国は存立できるのか、龍馬は北辰一刀流の中にその解決策を見出そうとしたが、なかなかに解答を得ることなく、江戸では武市半平太の尊王攘夷運動の枠に、自分の居場所を見つけていた。そして安政の大獄が始まろうとするとき、龍馬は江戸を離れる。

土佐に帰国、武市塾で国家建設構想

龍馬が二度目の江戸修行中の安政四年（一八五七）には、万次郎は幕府軍艦教授所の教授に四月に就任し、勝海舟と交友を深めていく。六月には『ボーディッチの航海書』の翻訳を完成させた。十月には、開港した箱館で捕鯨術を伝授することになる。幕府の開国プロジェクトの中で大活躍していた。八年後、龍馬のパートナーとして薩長同盟を成功させる西郷隆盛は、龍馬が江戸を去った三カ月後（安政五年十二月）僧忍向と入水し、蘇生して命びろいするという運命に漂った。

高知城下に帰国した龍馬を驚かせたのは、藩主山内容堂の隠居であった。将軍継承問題で一橋慶喜を擁立《ようりつ》しようとしたことに対する井伊大老の報復である。時代の波はいろいろな形で土佐にも押し寄せてくる。年の暮の近くになった十一月末、井伊大老打倒のため水戸藩の急進派、住谷寅之助他三人が高知に来る。しかし彼らは手形がないため入国できない。攘夷運動で交流のあった武市半平太に連絡をとろうとしたが、大坂勤番で土佐にいない。住谷は江戸で顔みしりの龍馬に手紙を出して会見を要請した。

龍馬はそれに対応するが、井伊体制の打倒を説く水戸藩の急進派たちは、龍馬の態度に失望する。この時期の龍馬の考え方を知る話として、住谷寅之助が残した『廻国日記』が面白い。「坂本龍馬は撃剣家にして誠実な人物なれど、事情迂濶、国家のこと何も知らずとぞ、宜しく数日を費し遺憾なり」とある。

当時、龍馬は江戸から土佐に帰国したばかりだ。江戸での幕府の強引な弾圧政治を、身をもって知っており、さらに帰国の途中に京都の混乱も体験している。国の混迷を知り尽くしていた。また、土佐藩も藩主山内容堂の隠居をめぐって、藩政は対立していた。尊王攘夷というだけで藩論を統一することは不可能である。恐らく龍馬は、水戸急進派の論理で世の中が動くはずはないと考えたのだろう。龍馬の対応は適切なものであった。

安政の大獄が続く中、安政六年が明ける。三月には武市半平太が大坂勤番から帰国、新町に道場をかねた塾を開く。二十五歳となった龍馬は、幕府と土佐藩が混迷する事態を横目に、武市塾に出入りし半平太の講義に顔を出すようになる。また、徳弘孝蔵に砲術を学ぶことになる。龍馬は最初の江戸修行で、佐久間象山の砲術門人となったという記録があるが、どの程度本気で砲術を学んだのか不明だ。徳弘門下ではピストルの撃ち方も教わったとの話が残っているので本気であったと思う。

武市塾での龍馬の評判は、人によって異なった。教科本を読ませると棒読みで、門人たちは笑いころげたが、意味を説明させると、しっかりと大意と真意をつかんでいた。徐々に龍馬は半平太に感化されていく。井伊大老の専断政治で多くの志士たちの生命が失われていく話に、幕府と藩の政治を改めて朝廷中心の政治にまとめるため尊王による国家の建設を構想するようになる。

土佐勤王党の結成

万延元年（一八六〇）が明ける。攘夷と開国の妥協のない闘いが、各地で繰り広げられる。

一月十八日には日米修好通商条約批准《ひじゅん》のための随行艦として、日本人による太平洋往復航海が企画され咸臨《かんりん》丸が出航する。艦長は勝海舟、通訳という名目であったが万次郎が事実上の航海士として乗り込む。咸臨丸が米国サンフランシスコに着き、歓迎会が続いていた三月三日（日本旧暦）、江戸では桜田門外の変が起こる。大老井伊直弼が水戸藩の浪士などの襲撃を受け斬殺された。

攘夷の気運は全国に一気に高まった。土佐では武市半平太を中心とする尊王攘夷派と吉田東洋の公武合体派の厳しい対立が始まる。藩主は容堂の養子山内豊範を十六代目に継がせていたが、実権は隠居の容堂が持っていた。しかし、その容堂の腹が決まらず日和見が続く。

いよいよ時期到来と、武市半平太は龍馬を説得する。半平太の考えは土佐の七郡に千を超える郷士がいる。これを中心に下士が立ち上がり、朝廷を敬う政治を断行することであった。龍馬は半平太の話を簡単には了解しなかった。半平太の構想が思想家の空想であり、行動家としての戦略性と戦術性に欠けていることを見抜いていた。

半平太は七月、藩に中国・九州剣術武者修行を願い出て許可となった。龍馬を誘ったが「武者修行の時代ではない」と断った。半平太は島村外内、久松喜代馬、岡田以蔵を同伴して出立した。目的は尊王攘夷派の各地での動きを探ることであった。半平太はその足で江戸に行った。この時期、山内容堂は武市半平太の動きを容認していた。

江戸に着いた半平太は、桃井道場を拠点にして長州藩士久坂玄瑞、薩摩藩士樺山三円、水戸藩士岩間金平らと交わり、土佐での尊攘派の結成を構想していく。文久元年（一八六一）八月、土佐勤王党結成の盟約文を江戸で作成する。起草は香美郡野市郷士の大石弥太郎であった。

血判署名は半平太を筆頭に百九十二人にのぼった。坂本龍馬は九番目に署名している。ごく一、二人を除きほとんどが、郷士、用人、足軽、庄屋、医師、僧侶、農民で、土佐七郡の長曾我部遺臣の末裔たちであった。この土佐勤王党は悲劇の展開となる。主宰者の武市半平太は、土佐勤王党獄として藩政の犠牲となり、切腹打ち首となる。脱藩の坂本龍馬、中岡慎太郎は勤王討幕や薩長連合、大政奉還などで挺身《ていしん》し維新の夜明けを見ず暗殺される。同志の中には天誅《てんちゅう》組に参加して奈良の山中に散った志士もいた。

龍馬が勤王党に加わるについては、半平太の考えに盲従するためではなかった。北辰一刀流の奥儀では、北辰の中心に座す北極星の光に勤王を感じ、北斗七星の不可思議な動きに柔軟な攘夷を感じたのではないかと思う。それまでの剣術家として身を立てるという志が、世の中を変えるという志士に生まれ変わったのである。

脱藩の決意

龍馬は勤王党に参加した直後、剣術修行と称して旅に出た。これは情報の収集と、組織拡大のためであった。武市半平太は参政・吉田東洋に薩長の動きを説明、土佐藩を挙げて勤王運動を展開することを進言するが、公武合体・佐幕開国の東洋は取り合わない。半平太は焦り始める。

龍馬の旅は半平太の密命で、長州萩に久坂玄瑞と会うのが目的であった。年が明けた文久二年（一八六二）一月十四日、久坂玄瑞と会い半平太の書翰を渡し、翌十五日にはじっくりと意見を交換する。当時、長州は長井雅楽らが公武合体・航海遠略策という開国論を藩論としていた。久坂玄瑞や高杉晋作らの尊攘派は苦境に立たされていた。

久坂は龍馬に、勤王の志士としての心がまえを披瀝《ひれき》した。久坂の見識は武市をはるかに超えたものであった。「諸侯頼むに足らず。一藩の興亡など歯牙にもかけるほどのことでない。天下草奔の志士がひろく糾合して決起すべきである」という久坂の一言に龍馬は痺れた。龍馬が自分を見つけた瞬間である。

河田小龍から教えられた万次郎の米国の話や諸外国では大型洋船で交易により国を富ましている話。江戸修行で北辰一刀流の千葉道場には諸藩の縄張りはなく、上士も下士もない。土佐南学は「知行合一」が精神だ。自然の中で自由に生きる黒潮自然信仰など、龍馬が二十八歳になるまで悶々としていた堰《せき》が一気に切れ、大きな流れとなった。ここで草奔の志士による尊王攘夷運動の全国統一戦線構想が浮かんだのだ。

龍馬は高知城下に帰るや、武市半平太に久坂玄瑞からの手紙を渡した。そこには「坂本君とは腹蔵のない意見交換をやり、詳しいことは聞かれたい。諸侯は頼むに足らず、公家もしかり。草奔の志士を糾合するほか策はない。失敬ながら土佐藩も長州藩も滅亡しても大義ない。両藩が共存しても、皇統が続かず君の考えが貫かれないなら、神州に生きる甲斐はない。坂本君によく言っておいたので、よく考えて対応されたい」という趣旨の過激な内容が書かれていた。

驚いたのは武市半平太、龍馬は必死に半平太を説得するも理解するはずはない。一藩勤王で凝り固まり、老公容堂をあてにしている半平太と意見が一致するはずはない。龍馬は早々に諦《あきら》め、かねてから思案していた脱藩を決意する。龍馬の意図を察知した兄・権平は注意を促し、説得するが龍馬の意思は変わらない。龍馬は親族から十両を借り、次姉の栄が名刀吉行を秘かに持ち出して龍馬に渡す。かくして文久二年三月二十四日、龍馬は同志の沢村惣之丞と脱藩した。次姉の栄は龍馬の脱藩を見届けて、自決するという悲劇が残った。

二度目の脱藩、そして暗殺

「脱藩」といっても、さまざまな形と質がある。おおまかにまとめると三つのタイプがある。まず「桜田門外の変」型である。これは井伊大老行列に斬り込んだ水戸藩士が、直前に「脱藩届」を出す例。これは水戸藩に迷惑がかからなくするためのもので、幕藩体制を守るという意図がある。次に「吉田東洋暗殺」型である。これは藩内で罪を犯し逃亡のための脱藩。同志に類を及ぼさない意図もあり、封建体制の発想の延長である。最後が「坂本龍馬」型だ。これは藩そのものを否定するという革命の意図を持つものだ。

龍馬の脱藩の狙いと効果について考えなくてはならない。龍馬は罪を犯し罪をまぬがれるために脱藩したのではない。脱藩することで藩法を犯し、罪人になったのである。理由は藩という封建制度の基本的枠が嫌になったのである。脱藩して何をするのかという具体策は持っていなかった。その点、吉村寅太郎らのように尊王攘夷の過激派として天誅組を結成していくこととは違っている。

龍馬は武市半平太という遠縁で先輩、さらに師でもあった人物が、単純な一藩勤王論で、主義主張に付和雷同する隠居の元藩主を信じ、藩政での主導権争いばかりやっていることに嫌気がさしていた。また、龍馬は参政の吉田東洋暗殺への動きに対する反発もあった。藩の存在、制度や仕組みが、日本に住む人々にとっても、日本国全体にとって害になるという発想があった。それを生かすため、走りながら考え、考えながら走ろう。そして、同じ憂いを持つ有識者の知恵をもらうためには、藩から自由になる必要があった。

龍馬が脱藩することで、どんな効果があったのか。幕閣や幕臣にも時代を読んだ人物がいた。雄藩にも新しい日本をつくろうとする人たちがいた。この人たちは、国家再建の具体的構想を描いていたが、体制から否定されたり嫌われたりで、それぞれの組織から離れていた。この人たちとのネットワークなしに、新しい時代はない。

龍馬の役割は、勝海舟の客分として、あるいは連絡役として、松平春獄や大久保一翁、横井小楠らの知恵と構想を繋いでいくことであった。というよりその役割のため龍馬は、新しい日本をつくろうとする天命によって、脱藩という生き方を選んだのである。

脱藩した龍馬の活躍は後に譲るとして、勝海舟の手足として働くために、脱藩問題を解決しておかなければならない。海舟は、文久三年（一八六三）一月、船で江戸に帰る途中、下田港で上京途中の前土佐藩主で隠居中の山内容堂に、龍馬の脱藩の罪を免除するよう直談判する。容堂は内諾し、二月には龍馬は叱りおき謹慎で赦免となる。

しかし、十二月には江戸の土佐藩邸より召還命令が出た。これには土佐藩の方針変更があった。容堂が土佐勤王党の弾圧に変心したことにある。龍馬は土佐藩に戻るどころではない重要な活動を続けている。勝海舟は召還延期の要請をしたが、江戸詰めの土佐藩目付は拒否する。土佐藩召還の命令に従わない龍馬は二度目の脱藩者となる。今度は藩法を犯した脱藩だ。

龍馬が二度目の脱藩から赦免となったのは、慶応三年（一八六七）四月、土佐海援隊の隊長になったときである。暗殺される七カ月前だ。文久三年十二月に二度目の脱藩者となっても、勝海舟はそんな立場の龍馬だからこそ、意地になって活用した。この三年四カ月の間に、日本の国内事情は一変する。

慶応元年五月には、長崎で亀山社中を結成する。慶応二年一月には薩長同盟を成立させる。龍馬個人も、元治元年（一八六四）五月、お龍と結婚。慶応二年二月には京都寺田屋で、伏見奉行の配下に襲撃される。三月には傷の治療をかねて鹿児島へお龍と新婚旅行に行く。龍馬は脱藩という運命を選ぶことで、国を変える天命のレセプターとなったのである。

第三章　龍馬を生んだ土佐の風土

龍馬の偉業を日本中いや世界中に広めたのが、司馬遼太郎の『竜馬がゆく』である。昭和四十年代の大ベストセラーで、ＮＨＫの大河ドラマとして放映され、龍馬人気は爆発した。二十一世紀にも愛読されている超ロングセラーで、日本だけでなく、世界各地に「龍馬の会」がつくられた。

龍馬についての研究は、明治・大正時代にも土佐人を中心に行われていた。しかし、国民的英雄として定着したのは、司馬遼太郎のお陰である。同時期に土佐生まれの平尾道雄氏や宮地佐一郎氏らによって、専門的研究書『坂本龍馬全集』(光風社書店) などが世に出て、龍馬の偉業は実証され、龍馬ブームが本格化した。

昭和四十年代は、今から思えば日本にとって幸せな時代であった。敗戦の復興から経済成長を成功させ、日本人のほとんどが豊かな生活を夢見ることができた。司馬遼太郎が描いた龍馬像はその時代に合った。龍馬の生き方に人々は自分を投影させ、共感を生んだのである。

昭和四十三年（一九六八）一月七日、大河ドラマの第一回放送を、正月休みで故郷の土佐清水市に帰省していた私は高知市長の坂本昭氏と一緒にみた。浜長という料亭であった。真偽のほどはわからないが、この浜長は龍馬と縁深く、西郷隆盛が土佐を訪ねたとき土佐藩士たちと酒を酌み交わした場所といわれている。坂本市長が、

「龍馬が志した民主主義の国家は、いまだに実現していない。このドラマが国づくりに役立つとよいが」と語っていたことを思い出す。

龍馬の歴史上の評価は、司馬遼太郎によって高められた。土佐に生まれた人間として、司馬遼太郎という大作家に感謝しなければならないと思っている。一方で歴史を超えて生きた龍馬の人間性が、どのような歴史的背景で形成されたか、司馬遼太郎の小説だけでは十分に考察されていない部分もある。

龍馬に対する司馬遼太郎の史観は、二つの柱からなっている。ひとつは長曾我部郷士と山内進駐軍という、封建社会の身分階級の葛藤・矛盾の中に龍馬の活動を原点としていることだ。もうひとつは坂本家の先祖が江州坂本城主、明智左馬之介光春で、明智光秀の血に繋がるとの指摘だ。龍馬の思考形成に先祖の霊的影響をイメージしたもので、なかなかに興味深い。

龍馬の思想と行動が、司馬史観の二つの要素に影響されていることは間違いない。しかし、私はそこにもう一要素を追加したい。龍馬という人間離れした性格を正確に理解するために、

龍馬が生まれ育った土佐という地政と歴史と風土に焦点を当てたい。

土佐の原点、スンダランド文化

「スンダランド」という言葉があるが、聞きなれない人も多いかもしれない。平成十七年（二〇〇五）一月二日、ＴＢＳのＢＳ放送で「幻の大陸スンダランド～海底に眠る人類の記憶～」という番組が放映された。東大教養学部で考古学を教えている小田静夫教授の指導で制作されたものだ。この番組でこれまで学界から見向きもされなかった土佐の縄文遺跡が紹介された。龍馬精神の原点を彷彿させる情報がそこにあった。

洪積世最後のビュルム氷期（約七万年前～一万二千年前）には、インドネシア周辺の海洋は海が退潮し、フィリピン・タイ・インドネシア・台湾などの諸島が、ユーラシア大陸と連なり、大きな亜大陸となっていた。これが「スンダランド大陸」と呼ばれるものだ。そこは人類が生活するのに最適の環境のため、アフリカ大陸で生まれたホモサピエンスが次々と移動してきて、現代人類の楽園となった。

この地で人類が創った精神文化は、自然の恵みに感謝する「自然信仰」、森羅万象に宿る神々に感謝する「精霊信仰」、自分を生み育ててくれた祖先に感謝する「祖先信仰」であった。このスンダランド文化の大陸は四万年前頃から、氷河期の変化や地震などの原因により水没しはじめ、一万年前頃から現在の東南アジア諸島となった。

スンダランド大陸の東側の太平洋では、約六万年前から黒潮が日本列島に向けて流れていた。この黒潮の流れに沿って、巨石遺跡と巨石文化が生まれる。このスンダランド文化の玄関のひとつが、龍馬の故郷土佐である。最近、土佐の竜串海岸の海底から古代の神殿と思われる石柱などが発見された。インドネシア諸島のポナペ島付近の古代遺跡と類似していると指摘する専門家もいる。

土佐は不思議な場所である。東の室戸岬から西の足摺岬周辺、そして背後の山々には、縄文時代に構築された「巨石遺跡」がいたるところに存在している。土佐の縄文遺跡で知られているのは、南国市岡豊町の「奥谷南遺跡」、幡多郡四万十町の「木屋ヶ内《こやがうち》遺跡」、長岡郡本山町の「松ノ木遺跡」、土佐市高岡町の「居徳遺跡」等がある。この中で「奥谷南遺跡」が、龍馬のルーツ坂本家の発祥地、才谷村に近い。

奥谷南遺跡からは南九州産の土器が出土しており、黒潮による人の交流が証明されている。縄文時代草創期のもので、龍馬の人間像も海のハイウエー「黒潮文化」と切り離して語ることはできない。

土佐は、黒潮の流軸が直接にぶつかる日本列島では唯一の場所である。ジョン万次郎は、その足摺岬の漁夫の家に生まれた。小龍と龍馬は、土佐湾の中央浦戸湾を眼前にした高知城下で生まれている。三人に共通するのは「海への情念」である。

この情念は、スンダランド大陸から黒潮にのって、沖縄、九州、四国そして日本列島の各地に広がった縄文時代の自然との「共生文化」の基層となったといえる。これが、わが国の「古神道」といわれる信仰・精神の原型で、龍馬・万次郎・小龍の精神的DNAの原点ではないか。

この精神文化の特徴は、自然の中に絶対の自由を求めることである。この精神のDNAが、日本を近代化させるため人智を超えて龍馬を活躍させることになる。それは天命のレセプターとして天命に使われたともいえる。

「人も禽獣も天地の腹中に湧きたる虫にて、天地の父母の心より見れば、更に差別は有るまじきなり……」という龍馬の精神的DNAは、権力を私物化しようとする官僚政治勢力からすれば危険なものである。それが龍馬暗殺という歴史の悲劇となる。

天命に生き宿命に死んだ龍馬の三十三年の生涯の原点は、黒潮が日本に運んだ古代からのスンダランド文化にある。土佐に残されているこれらの遺跡が、考古学者から見捨てられていることが残念である。

空海密教文化が子守唄

龍馬の故郷、土佐が縄文スンダランド文化の日本列島における玄関であると知っていたのは、古代では空海こと弘法大師であった。四国八十八カ所の霊場の近くには、縄文遺跡があり、遺跡の中に建立されているものもある。ただしこれは私の見解で、学術的に立証されたものではない。

土佐にある縄文遺跡を、黒潮が運んだスンダランド文化だと指摘する外国の研究家がいる。米国スミソニアン協会のクリフォード・エヴァンス、ベティー・メガーズ博士（考古学）夫妻と英国の古代史研究家グラハム・ハンコック氏である。ハンコック氏は世界的ベストセラー『神々の指紋』（大地舜訳・小学館）の著者としても有名である。

エバンズ博士に土佐清水市から出土した土器の写真を鑑定してもらったことがある。博士によれば南米エクアドルの土器と類似しているとのことで、縄文人が古代に太平洋を渡って交流していたという自説を証明するものだと驚いた。ぜひ高知で調査したいと言うので、ジョン万次郎の会が主催した「日米草の根交流会」を機会に、平成七年（一九九五）に招待した。そして足摺岬を中心に調査を行ったところ、

「平野さん、高知にある縄文遺跡は、国が本格的に調査すべきです。世界史の通説が変わります」と言い残して帰国した。

グラハム・ハンコック氏は、平成十二年四月に来日した際、私の案内で足摺岬周辺の調査を行った。日本の縄文文化について執筆するためで、足摺岬の巨石遺跡群に驚くとともに、海底

にある遺跡を潜水して調査したいと言い出し、止めるのに苦労した。不思議なことにハンコック氏が「これは遺跡だ」と指摘した場所のほとんどが、空海伝説に関係するものであった。

例えば「空海が爪で岩に書いた文字」は、ハンコック氏によれば「古代人の画いたペトログリフ（岩刻文様）だ」と。「空海の創った船形石」は、「ギリシャ神話のアルゴ船で、古代にギリシャ神話を知っている民族が黒潮で移動して住んでいた証拠だ」というようにである。

空海が土佐の室戸岬の洞窟「御蔵洞《みくらどう》」で修行し、明星が口の中に入った体験で悟りを開いた話はよく知られている。四国八十八カ所という霊場を設け、現在でも日本中の人々から遍路信仰として親しまれている。

八十八カ所の中で、高知には第二十四番の室戸山最御崎寺《ほつみさきでら》（明星院《みょうじょういん》）から始まり、第三十九番赤亀山延光寺《しゃっきざんえんこうじ》（寺山院《じさんいん》）まで十六カ所ある。龍馬が生まれ育った高知市には、第三十番の善《ぜん》楽寺《らくじ》、第三十一番の竹林寺《ちくりんじ》、第三十三番の雪蹊寺《せっけいじ》の三カ所がある（平成二十一年三月現在）。万次郎が生まれ育った足摺岬には第三十八番の蹉蛇山金剛福寺《さだざんこんごうふくじ》（補陀落院《ふだらくいん》）がある。

この足摺岬の金剛福寺は、弘仁十四年（八二三）（弘仁十三年説あり）、嵯峨天皇の勅命で国家護持の勅願所としたところである。嵯峨天皇が即位したのが大同四年（八〇九）で、藤原薬《くす》子《こ》の乱などで政情が不安定であった。国家護持のため祈願所を構想した嵯峨天皇は西の勅願所として、空海をして足摺岬に金剛福寺を建立させたといわれている。まったく同じ年に、私の住む千葉県柏市の利根川の辺りで、霊山筑波山を背景にした「布施弁天」を、東の勅願所としている。不思議な因縁を感じざるを得ない。

四国は空海密教文化の国である。空海を単に真言宗の開祖とだけ解釈したくはない。空海ほど、世界の信仰を総体的、宇宙的、コスミカリズムに沿って発想した人間はいないと思う。

龍馬の思想のひとつに「大奸智無慾の如くにして今世の万人測り知るべからざる人を、日本では鬼神といひ、唐土にて聖人といひ、天笠にて仏と云ひ、西洋にてはゴットと云ふ、所以一つなり」と残っているが、龍馬の心の奥底には、空海に通じる何かがあったのではないか。龍馬も小龍も万次郎も、そして現代に生きる私たちも土佐を故郷としている人間は、空海の御詠歌の中で生まれ育ってきたのだ。

遠流と落人文化の国

土佐は古くから遠流《おんる》と落人《おちうど》の国として知られている。この文化を抜きにして龍馬の思想や精神を語ることはできない。もちろん龍馬の目を海外に向けた河田小龍や万次郎の思想や精神も。

「遠流」とは、聖武天皇が神亀元年（七二四）に定めた「流配遠近」のことである。大和朝廷が犯罪者を僻地に、俗にいう島流しにする掟だ。近流、中流、遠流とあり、土佐は伊豆、安房、常陸、佐渡、隠岐とともに遠流の地と定められた。

奈良時代までに土佐に流された歴史上の人物の代表例を挙げると、蘇我赤兄（壬申の乱、六七二）、石上乙麻呂（天平十一年・七三九、久米連若売を姦した罪）、大伴古慈悲（天平宝字元年・七五七、謀反の罪）、池田親王（天平宝字八年、謀議の罪）、弓削浄人（宝亀元年・七七〇、道鏡の弟で連座の罪）等である。醍醐天皇が延喜式を施行、そこで流刑の細則が定められ、「土佐国京ヲ去ニ千二百二十五里遠流トス」となる。

平安時代以後、土佐に流された代表的人物は、出雲朝臣家継（延暦十四年・七九五、親族傷害の罪）、菅原高視（延喜元年・九〇一、父道真に連座）、源希義（永暦元年・一一六〇、頼朝の実弟で平治の乱で）、安倍泰親（治承三年・一一七九、晴明の子孫で占いの効なきため）、法然上人（承元元年・一二〇七、念仏廃止を訴えたため等）、土御門上皇（承久三年・一二二一、承久の乱に関与）、尊良親王（元弘元年・一三三一、後醍醐帝の長子、元弘の乱の関係）、伊達宗勝（寛文十一年・一六七一、伊達騒動に関連）、加賀爪直澄（天和元年・一六八一、江戸幕府旗本白柄組、幡随院長兵衛との争い）等々。

これらはほんの一部で、遠流の国と土佐が定められてから数千人に及ぶ重犯罪人が流されてきた。殺人、窃盗、姦淫等の罪人もいたが、多くは政治犯あるいはその連座によって、直接犯罪人でない有名人や学者、芸能人、詩人など文化人も多くいた。この人たちの中には、反骨精神を僻地の土佐で養いながら、配所の月で心を慰めた人もいた。

また、黙々と読書三昧にひたり、博学を土地の人に講じるなど、流人を中心とした独特の文化をつくった。ある者は罪を許され都に帰り、ある者は土佐に留まりその子孫が土佐人となった。龍馬にも小龍にも万次郎にも、歴史の時間の中でこうしたDNAが溶けこんでいるのである。

「落人文化」も忘れることができない。「落人」とは「流人」と違って権力からの追放に従属することではない。戦いに破れたり乱から逃避するという運命を背負った人たちのことだ。

中世以降の戦乱混迷のとき、大勢の落人が土佐に逃れてきた。平家敗北から南北朝抗争、応仁の乱から戦国時代、安土桃山時代から関が原の戦いに至るまで、おびただしい武将や家臣が土佐の山間海辺に落ち延びて土着した。坂本家の『先祖書指出控』には、「先祖坂本太郎五郎、生国は山城の国、弓戦の難を避け長岡郡才谷村に来住す」とある。坂本家の先祖について姉乙女が龍馬に語った話は第一章で紹介した通りである。

土佐では流人についての文献や史跡がそれなりに残されている。落人については、若干の遺物が残されているものの、記録などは残すことができない運命なのである。その意味で、伝承は落人の精神や思想を抽象化したものといえる。

坂本家の『先祖書指出控』は、おそらく落人の伝承を記録したものであろう。土佐に土着している人々の多くは、それぞれに先祖についての物語を持っている。それが心の支えであり、精神のDNAとなって新しい歴史をつくるエネルギーの原点となるのである。

土佐には流人とも落人ともいえない都の文化の移行がある。例えば鎌倉時代後期（文保二年・一三一八）、禅宗の高僧夢窓国師は北条高時の母の招きを断り、俗塵から離れて土佐の五台山に身を隠し、吸江庵を開いた。夢窓は一年二カ月土佐で暮らし、義堂、絶海という土佐の名僧を育て、鎌倉勝栄寺に移った。

また、応仁二年（一四六八）、時の関白太政大臣一条教房が応仁の乱を避けて、中村に京都に模して町をつくり、和漢の学問を盛んにしている。五代目にあたる一条兼定は、戦国時代の天正二年（一五七四）長曾我部元親に追われ、妻の父である九州豊後の大友宗麟の庇護《ひご》を受ける。一条兼定はそこで洗礼を受け、ドン・パウロの霊名でクリスチャンとなる。天正三年で、大友宗麟より三年早いクリスチャン大名となる。

ドン・パウロ兼定は、故郷幡多郡（土佐西南部）を奪回して「愛と平和の理想郷」のキリスト教文化国を建設しようとした。大友宗麟の援助で、ドン・パウロは軍船に十字架の旗をなびかせて豊予海峡を渡り、伊予西海岸の法華津に上陸した。四万十川をはさみ、長曾我部元親軍と一戦を交えたが、敗れて伊予宇和島港の孤島「戸島」に身を隠した。

愛と平和の理想郷の建設は夢となったが、この幡多地域は黒潮の主軸が接岸する足摺岬を中心に、縄文時代にはスンダランド文化が栄えたところだ。ドン・パウロ兼定の家来の中にはクリスチャンもいて、兼定敗北により幡多地域の山間や海辺に隠れ住んだ。この地方には「泥《ひじ》谷《や》」という姓を名のる人たちがいる。先祖は大友宗麟の配下で、今日でもキリスト教を信仰し、普及に生涯を尽くしてきた子孫がいる。

平成二十年（二〇〇八）四月、聖路加国際病院理事長の日野原重明先生が高知に来訪し、各地でジョン万次郎について講演された。また、同じ改革派のクリスチャンで、泥谷家の子孫の方々と面談する機会があった。後日、先生にお会いすると、

「戦国時代に土佐でキリスト教の拠点をつくろうとした子孫が今でも活躍していることには驚きました。万次郎も漂流して米国でクリスチャンになっています。土佐というところは不思議なところですね」と言われた。

龍馬は「いごっそう」の代表

坂本龍馬の人間観や死生観、思想といったものがよく表れているのが『英将秘訣《えいしょうひけつ》』である。別名「軍中龍馬奔走録」ともいわれる。龍馬と活動をともにし、龍馬から影響や薫陶《くんとう》を受けた人たちが集めた龍馬語録である。

龍馬研究の第一人者の一人、千頭清臣氏が大正三年（一九一四）に博文館から刊行した『坂本竜馬』に全文が紹介されている。「是れ龍馬が兵馬倥偬《こうぞう》の間、機に臨み変に応じて人に語り

しものを、何人か書して後世に伝へたるものなりといふ」と解説しているが、ひらたくいえば「如何にも龍馬が言いそうな」語録を集めたという意味だ。

龍馬のような奇想天外な快人物の人間観や死生観を知るには、奇想天外な怪文書のようなものの方が役に立つ。そこで『英将秘訣』を材料にして、龍馬の人間観や死生観そして思想・信条を大胆に推論してみよう。

龍馬の人間観に当る語録は、

「人も禽獣も天地の腹中に湧きたる虫にて、天地の父母の心より見れば、更に差別は有るまじきなり、然れば才物の霊などといふも、戎人の我が誉に言へる言にて、人は万物の上と言ふ証拠は更に無き事にあらずや」というものだ。

これほど大きな人間観、宇宙観を持つ人間は、そんなにはいない。解釈は読者に任せるが、生きとし生けるもの全て平等である、「人間は万物の霊長」なんていう証拠はない。「天地の父母」たる宇宙から見た龍馬の発想に、人間としての器の大きさを感じざるを得ない。絶対的な平等と自由という、ありえないことを求めようとするのが、土佐の人間の特徴である。

龍馬の死生観と思える語録がある。

「予《われ》、死する時は命を天に返し、位高き官へ上ると思定めて、死を畏《おそ》るゝ事なかれ」というものだ。その一方で、

「なる丈け命は惜しむべし、二度と取りかへしのならぬもの也。拙《つたなき》と云事を露斗《つゆばか》りも思ふ勿《なか》れ」とも言っている。

「死を畏れるな」と大言しておいて、「命は惜むべし」と言うのだから矛盾ともいえる。龍馬の真意は「一生懸命に生きろ、死ぬとは天に還ることだ」ということだろう。矛盾ではなく、「生きること」と「死ぬこと」を弁証法の発想で捉えている。人間は死ぬことで「天に還って、偉く（位高く）なるのだ」という考えである。これは妙見思想そのものではないか。

面白いのは、人間のあり方についてだ。

「俸禄《ほうろく》などいふは鳥に与ふる餌《えさ》の如きも也。天道豈《あに》無禄の人を生ぜん。予が心に叶《かな》はねば、やぶれたるわらぢ（草鞋）をすつるが如くせよ」

とある。かなり過激な発想だが、社会的地位について龍馬の考えは、

「位といふは本末を云ふのみにて、恃《たの》むに足らぬ飾也。智と勇とを蓄ふべし。天下乱れたる時よりて知るべし」とある。

龍馬の三十三年にわたる生涯をふりかえると、奇蹟《きせき》といえる活動で歴史を動かし、暗殺によって天に還った。龍馬の真情がこれらの語録から理解できる。

森羅万象の本質を平等に置き、死は命が天に還ることと考え、報酬を鳥の餌とし、地位を飾とする龍馬の発想は、原始的アナーキズムともいえる。土佐という土地柄は、古来からこの種

の人物を生むことで知られている。俗に「いごっそう」と呼ばれ、偏屈・強情・へそ曲がり・意地っ張り・法螺《ほら》吹きといわれる。

龍馬は土佐が生んだ「いごっそう」の代表である。龍馬の思想に大きな影響を与えた北辰一刀流の妙見信仰もまた、土佐の自然アナーキズムと共鳴している。

土佐南学の歴史と精神

坂本龍馬の思想と行動を論じるとき、避けることができないのが「土佐南学」の精神である。それは時代の変化に先行して、頑強な支配の論理になったり、「知行合一」で知られる革命・変革のイデオロギーともなる不思議な思想である。戦国時代、朱子学によって体系化された土佐南学が、幕末には陽明学と融合し、明治維新の原動力となった。その政治思想は「多目多聴」「相互扶助」「奉仕勤倹」である。しかし龍馬が土佐南学の精神の根底に求めたのは、「人間の本源的自由と平等」だった。

そこで「土佐南学」の歴史と趣旨を論じておきたい。通説によれば、天文年間（一六世紀中期・一五三二～一五五五）弘岡城主吉良宣経の客分として、土佐を訪れた周防の国（山口県南部）の南村梅軒が、禅儒の学を教えたことに始まるという。南村梅軒自身が周防で学んだ思想や土佐に生き続けてきた文化や学風を、禅宗や儒学の立場から体系化したものである。

しかし、南村梅軒をもって土佐南学の創始者とすることには異議がある。その源流の歴史を実証的に検証したのが、土佐南学研究の権威者吉永豊實氏である。吉永氏は存命中に土佐藩の法制史を中心とする研究で法学博士を授与された博学者である。平成時代に至って唯一の土佐南学研究者で、名著『南学と土佐藩の法制』からその論を紹介しよう。

南村梅軒を遡ること二百三十年、鎌倉時代後期、臨済派の禅僧で実践により禅の宗旨を徹底させるとともに朱子学に詳しく、天台、真言の教義にも通じた学僧、夢窓国師が、土佐に来たことから南学の源流が始まるという。

夢窓国師は五台山に吸江庵を開き、多くの者を教え土佐から義堂、絶海らの名僧を出した。この二人が京都で周防から来た桂庵にその思想を伝え、その影響を受けたのが南村梅軒であった。吉永氏は夢窓国師を土佐南学の源流とするとともに、その思想は突如として起こったものではないとしている。歴史を超えて土佐の自然や風土伝統、そして土佐人気質、慣習などと融合一体となって、土佐学としての南学を形成したと喝破している。

吉永氏のこの指摘は卓見である。有史前から存在するスンダランド文化の日本の玄関である南国土佐の縄文の風土を抜きにして、土佐南学は語れない。黒潮の主軸が直岸する土佐には、超古代からスンダランド大陸の人々が移動し、特異な縄文文化をつくった遺跡が各地にある。その精神文化の根底は「自然の中に絶対の自由を求める」ことである。これが土佐南学の基層にあると私は確信している。その上に空海密教文化が育ち、歴史の混迷の中で流人・落人文化が、独特の土佐文化を形成していった。これらの文化も土佐南学の形成に大きな役割を持っている。

戦国土佐武士の思想、幕末の土佐勤王運動の原点に

ここで土佐南学が歴史の流れの中でどのような役割をしたのか、その大要を述べておこう。

鎌倉時代、幕府からの要請を避け土佐に吸江庵を開いた禅宗の高僧、夢窓《むそう》国師を源流とする土佐南学は、土佐津野山郷に生まれた義堂（正中二年・一三二五年生）と絶海（建武元年・一三三四年生）に引き継がれ、二人が京都天龍寺を中心に活躍することになる。

当時の京都で起こった「京師学」を西学と呼んだのに対し、土佐で起こった学問が「南学」といわれるようになる。この思想は義堂・絶海から周防の高僧桂庵《けいあん》に通じて、周防大内氏の家臣であった南村梅軒に引き継がれる。梅軒が土佐弘岡城主吉良宣経の客分として、学問を家臣たちに教えるようになったのが天文年間と伝えられ、ここで土佐南学として体系化された。

この南学は、長浜の雪蹊寺《せっけいじ》の僧、天質《てんしつ》や吸江寺《ぎゅうこうじ》の僧、忍性《にんしょう》らも受け継ぎ、長曾我部氏を中心とする戦国土佐武士の思想となる。土佐を掌中にし四国を統一した長曾我部元親は、南学を基本とした統治で知られていた。病死後を継いだ盛親は関が原の戦いで西軍に属し、敗戦で京都

六条河原の露と消える。

土佐は長曾我部氏に代わって、遠州掛川の城主、山内一豊が藩主となる。以後、十六代二百七十年にわたって山内氏が土佐を支配する。この間、土佐南学は親鸞派の僧、谷時中《たにじちゅう》らから土佐藩政を指導する野中兼山《けんざん》、小倉三省らに伝わる。南学者が藩政を担当するようになると、南学は土佐の政治や法制だけでなく、産業振興の基礎思想に生かされるようになる。

野中兼山の二十八年間にわたる藩政で、南学は不動の基礎となった。しかし、兼山の失脚により南学排除の悲運もあったが、その影響は土佐藩領外で発展することになる。京都生まれで秀才の名をほしいままにし、土佐でも修行を積んだ山崎闇斎《あんさい》が、南学を神道学の立場から理論化して全国から注目されることになる。兼山の失脚は寛文三年（一六六三）で、南学の産業振興実践による民衆の反発を、政治的に利用した藩政内の権力闘争に敗北する。

兼山失脚後、有能な南学者は土佐を去り、他藩に仕える。こうして南学は狭い土佐から広い日本の舞台にのぼった。土佐藩も藩政の基本方針に南学の精神が失われることはなかった。兼山没四十年後、元禄一五年（一七〇二）には、第五代藩主豊房が谷秦山を藩政に参加させた。秦山は岡豊八幡宮の子で、山崎闇斎らに学び日本古来の伝統文化や皇道精神を展開し、新しい南学の道を見出し、幕末の土佐勤王運動の原点となった。

土佐藩は朱子学を中心とした南学を、藩校で教育した。南学は、幕末になると水戸学派などの影響を受け、陽明学の実学を融合させながら新国家創設の政治運動の理論となった。坂本龍馬を中心に薩長土肥連合の組織化、幕府の大政奉還の実現、そして明治維新を成功させる。さらに近代憲法の制定と議会開設に繋がる。

ところで、南学はどんなものであったか。吉永氏の論から要約しておく。

1 南学は禅宗の名僧によって基礎が確立し、朱子学と結びつき土佐の伝統、風土、土佐人の気質などと融合したものである。
2 学問の本質は大義名分を明らかにし、尊王愛国の精神を根本とする。
3 直接行動にうったえ、自己の体験をとおして真の自己をとらえることから出発する。
4 「生きるべき時は生き、死すべき時は立派に死す」ことを教え、死生観に徹する。
5 仏教に共通する慈悲、儒教の仁、倫理、道徳を重んじる。
6 実刑実学主義をとり、現実主義で空理空論をとらない。
7 衆議思想し「多目多聴」即ち多くの意見をきき、独断専行をさける（「広く会議をおこし万機公論に決すべし」や、自由民権運動、国会開設運動は南学の精神を持つ土佐人が中心であった）。
8 忠誠、忠節を尊ぶこと。

矛盾を内包しながら世界に共通する普遍的原理を有す

南学の源流から始まり、明治維新による近代国家の建設に至るまでの南学精神には、思想哲学上の矛盾や論理の対立があることに気づかれると思う。実はこの矛盾や対立に南学の面白味があるのだ。なぜ矛盾や対立があるのか。それは歴史や時代の変遷、流れの中で人間が悩み苦しむ実態を表すものである。

土佐南学は、幕末の混乱の中で坂本龍馬の「大政奉還」を実現させる思想にもなった。また吉村寅太郎らによる天皇直轄支配体制をつくろうとする「天誅組事件」も起こす。思想とは、歴史と時代に適する展開を判断する人間がいなくては生かされないものである。

さて、坂本龍馬も河田小龍もジョン万次郎も、土佐南学の精神の中で育っている。詳しくはそれぞれの章で述べるが、その関係を要約しておく。

龍馬の先祖である才谷屋は、元禄時代には高知城下で商業を営み、当主の八郎兵衛直益は、前述した谷秦山の高弟を師として南学を学んでいた。また天保時代、龍馬の祖母・久は南学者井上真蔵好春の娘である。父の八平は土佐南学の重鎮・鹿持雅澄に師事していた。坂本家は南学の家系そのものであった。

河田小龍は天保年間、陽明学者の岡本寧浦《ねいほ》に師事し、陽明学系の南学者でもあった。ジョン万次郎は、寺子屋にも行けない境遇で育ったが、宇佐浦の網元徳右衛門から生活の中で、土佐南学の実践を教わっている。土佐人の生活規律は南学の精神を踏まえたもので、共同体の中で伝統的に生きていた。万次郎が徳右衛門から躾けられた「若者組」の規律がそれである。例示すると、

《家事・学習》早寝、早起きして家業にはげみ、ひまなときは読み書き算盤を習え。万事倹約し、衣類、服装は質素にせよ。

《長幼の定め》親には孝をつくし、兄弟姉妹は仲良くせよ。物事を実行するには、万事、年長者の言いつけを守れ。年長者には必ずあいさつせよ。重い労働は若者が進んで引き受け、年長者にはさせるな。子供や雇人をいじめてはならぬ。

《服装・態度》手ぬぐいを肩にかけたり、腰に下げて歩いてはならぬ。ふところ手、鼻歌はつつしめ。会議の席であくび、雑談、私語をしてはならぬ。

《人との交際》道で人に会ったらあいさつせよ。他人の悪口を言うな。人にぞんざいな言葉づかいはしない。喧嘩、口論をしてはならない。他人の家に長居をしたり、旅人に無礼な行いをしてはならぬ。

《勝負事・酒・煙草》バクチ、勝負事をしてはならぬ。寄り合いの席では、長居、深酒を

してはならぬ。村役人や目上の人がいる席では、お茶、たばこはつつしめ。たばこは二十五歳から吸うこと、くわえたばこして歩くな。

《男女関係》夜遊び、女狂いのイタズラをしてはならない。

この規律の中には、今日では異論の出るものもあるが、多くは人間として守らなければならない普遍的な規律である。漁船で漂流して、米国の捕鯨船に助けられ、ボストン郊外のフェアヘブンで暮らすようになった万次郎は、この地域の人々に信頼され可愛がられた。その訳は、この地はメイフラワー号で米国に渡ってきた人々を祖先としていた。ピューリタリン信仰と土佐南学の生活規律には共通したものがあった。人間が生きていく普遍的原理は世界に共通している。

土佐藩には、江戸時代中期に南学の思想で「殖産興業、福利厚生、経済発展」により物づくりに成功したものがいくつかある。土佐の特産品の生産である。「かつお節」は黴《かび》の培養によるバイオテクノロジーだ。「漆喰《しっくい》」は石灰をセラミック技術で精製したものだ。「尾長鶏」は雉《きじ》や山鳥を交尾させて遺伝子操作でつくったものだ。幕末、土佐が経済発展する中で、「才谷屋」という商家が繁栄し、そこから坂本龍馬という歴史を動かす人材を輩出することになる。

土佐南学の精神を継ぐ人材は、明治・大正・昭和と細々ながら続いたが、平成になって影をひそめた。五台山のふもとには、南学源流の名僧・義堂と絶海が鎌倉時代に座禅を組んだ巨石が、人知れず残されている。平成の土佐人は歴史に学ぶ心を失ってしまった。

「土佐人は歴史に学ぶ心を失った」と批判した私が実は土佐の歴史の根幹を知らなかったことを白状したい。本書のゲラ校正中に初めて知ったことだが、星信仰・妙見信仰のルーツは土佐にあるということだ。『消された星信仰』（榎本出雲・近江雅和共著　彩流社）や『中国・四国・九州の妙見菩薩』（諸井政昭氏のブログ）などの話から、不勉強さを知った。土佐には古代「物部族」が星信仰を持ち込み、それが「水神」として信仰されていたのだ。黒潮スンダランド文化の土佐らしい風土をつくった原点である。

第四章 ジョン万次郎、河田小龍、坂本龍馬

大宅壮一の万次郎論

テレビ時代が到来した昭和三十年代後半、「一億総白痴化」と喝破した戦後最大の文明評論家・大宅壮一が、ジョン万次郎について論じている。昭和三十九年（一九六四）に文藝春秋新社から刊行した『炎は流れる』全四巻の第二巻に収録されている。

「欧米文化との初接触」というテーマで、〝漂流民の予想外の能力〟〝捕鯨がうながした開国〟〝万次郎から新知識吸収〟といった項目があり、いずれも興味深いが、その中でも〝自由民権の種まく〟に注目したい。少し長くなるがその一部を紹介しよう。

漂流という形で、より高い文化にふれるというのは、民族の素質テストの点では、製品の〝ぬきとり検査〟のようなものである。留学の場合は、育った環境、能力、素質などの上で、どっちかというと恵まれた条件のもとにあるものが、より高い学問、教養、技術を身につける

ため、計画的に、一種の投資として、文化の発達した国へ出かけるのである。これに反して漂流は、決して本人が希望したのではなく、まったく偶然の幸運によって、九死に一生をえたものである。しかも、その大部分は、もともと文化や教養とあまり関係のない、いわば社会の底辺に属するものだ。

したがって、そういうものが高度の文化に接したときの反応は、留学の場合よりも、民族的素質の深部につながっている点で、より大きな意義を持つことになる。

かくて万次郎らは、日本をはなれてから十二年目、琉球についてから一年半たって、生まれ故郷の土佐にかえりつくことができた。

（中略）土佐でも、藩主山内豊信《とよしげ》に召されて、同じようなことをきかれた。そのあと武士の末端に加えられ、苗字帯刀《みょうじたいとう》をゆるされた。もはや〝ジョン・マン〟ではなく、生まれた部落の名をとって、「中の浜万次郎」となった。

（中略）そのうちに、彼は、藩校「教授館」に出仕を命ぜられた。名目は助教のようなものだが、海外事情にかんする知識と見識はずばぬけていたので、英語ばかりでなく、わからないこと、疑問に思う点は何でもききにきた。そのなかには、吉田東洋、坂本龍馬、岩崎弥太郎、それから当時十五歳の後藤象二郎もいた。維新の変革で、薩長が優勝を争っているすきに、土佐が少数の精鋭分子をもって、一時はこれら両藩をリードし、けっきょく第三位にくいこむことができたのも、万次郎の知識に負うところが多い。のちに、土佐の藩論ともなった「合議政体論」をはじめ、明治初期の日本を風靡《ふうび》した自由民権思想は、万次郎のもたらしたアメリカ式デモクラシーとつながっている。つまり、漂流者万次郎が、アメリカから持ってかえったデモクラシーの一粒のたねが、まず土佐でまかれ、それが日本的民主主義として成長し、明治二十二年の憲法発布、明治二十三年の国会召集となって、いちおう実を結んだということになる。さらに進んで、明治四十三年に「大逆事件」を起こした幸徳秋水にまでこれが尾をひいていると見られないこともない。

この大宅壮一の万次郎論は、事実関係で若干の検証が必要であるが、大宅史観により、日本近代化の本質を突いたものである。この論は発表の時期には、学界からも言論界からも、まったく評価されなかった。

社会の底辺に属していた万次郎が、漂流という運命の中で異文化に接して、優れた民族的素質を発揮した。日本の近代化に貢献する過程で坂本龍馬らに与えた影響は大きい。しかし、万次郎の行動と思想を龍馬に適切に伝える人物がいなければ時代は動かず、歴史は変わらなかった。その人物とは画人で開明派の河田小龍であった。

小龍の顕彰記念碑が建立されるまで

平成十五年（二〇〇三）十二月十三日、高知市南はりまや町旧川跡の公園に、「銅版レリーフ」の記念碑が建立され、除幕式が行われた。河田小龍「生誕地碑」である。小龍生誕地のすぐ近くの広場である。碑文には次のように記されている。

碑　文

名は維鶴、別号小梁、山など、文政七年土生玉助・礼子の長男として旧浦戸町片町（南方30ｍ）に生。画は島本蘭渓、儒を岡本寧浦、京に上り狩野永岳、中林竹洞、長崎の木下逸雲に学び、南北合派を修得、蘭学画事を土佐に伝えた。嘉永五年米国から帰郷した中浜万次郎とここで寝食を共にし『漂巽紀略』を著し、日本の開国に益した。のち築屋敷の仮寓先で青年坂本龍馬に世界の情勢を語り、洋船操縦技術習得の急務を述べ、後に亀山社中、土佐海援隊で活躍した長岡謙吉、近藤長次郎、新宮馬之助らは小龍の弟子である。この地は膨大な画人や志士達に新思想を鼓吹啓蒙した記念すべき土地である。ここにこの碑を残し、永く後世に伝わらんことを願望する。

平成十五年

河田小龍生誕地　墨雲洞の碑を建立する会

塑像 西本忠男
書 千谷清卿

除幕式に出席した河田小龍の曾孫で金剛流能楽師の宇髙通成氏は、「本日、ここに曾祖父、河田小龍『生誕地碑』の除幕式を迎えまして、感慨深い思い出がよみがえって参ります。……」と涙ながらに遺族の挨拶をした。この記念碑がつくられるについては、いろいろな人々の好意と努力があった。

河田小龍の孫にあたる宇髙随生氏から私に、高知市民図書館が出版した『漂巽紀略 付・研究河田小龍とその時代』（川田維鶴撰）を、親書に添えて送っていただいたのが、一九九二年十一月のことであった。その十日前に上京され、議員会館の事務所でお会いし、記念碑を中心に小龍の顕彰運動についてお話をお伺いしたばかりだった。

私はこれまでジョン万次郎を歴史に残す運動を進めてきた関係で、小龍がいなければ万次郎や龍馬の活躍もなかったことをよく承知していた。宇髙随生氏の話を聞き、小龍の活動を歴史の上で正確に位置づける必要性を確信した。宇髙氏は小龍の長男蘭太郎の四男で、伊予松山藩の軍艦奉行の家柄であった母方の姓を継いだ人物であった。

万次郎と小龍と龍馬の関係を簡単に言うと、日本の開国近代化という井戸を掘ったのが万次郎なら、水を汲み出し龍馬に飲ませたのが小龍である。小龍という情報の整理・伝達役がいなければ、龍馬の日本回天はなかった。私は一も二もなく随生氏の提言に賛同して、その実現に協力することを約束した。

ところが同時期から始まった政治改革の渦の中で、私は動きがとれなくなった。随生氏の要請を一刻も忘れることはなかったが、何もできずそのままになっていた。残念なことに随生氏は一年後に逝去された。誠に申しわけない思いであった。

河田随生氏は生前、高知市民図書館で講演した機会に、小龍について顕彰会の発足や展示会、画集の出版、生誕地モニュメントの作成などを提案していた。随生氏の長男である通成氏が亡父の遺志を実現すべく関係者に働きかけ、協力したのがジョン万次郎の研究家で知られる日米学院理事長の永国淳哉氏や高知市文化財保護審議会委員の谷是氏らであった。

永国氏や谷氏らを中心に「河田小龍生誕地〝墨雲洞〟跡にモニュメントを建設する会」が発足した。当時の横山龍雄高知市長らにも働きかけて、運動をスタートさせた。二〇〇二年春、高知市よる土佐橋公園再開発プランが発表されたのを機に「河田小龍生誕地〝墨雲洞〟の碑を建立する会」が発足した。

会長には高知県商工会議所連合会入交会頭が就任、副会長には県内外の財界人、文化人ら有識者ら二十八名、幹事に五十四名が選出され、事務局を日米学院に設け、趣意書をつくり募金活動を行うことになった。趣意書の題名は、『――坂本龍馬の先生――河田小龍生誕地〝墨雲洞〟の碑建立趣意書』というもので、内容は実に要領よく小龍の生涯、万次郎と龍馬との関係、そして歴史的評価をしており評判もよく、目標額の募金も集まった。

記念碑の除幕式の平成十五年十二月十三日に先立って、県立美術館では「幕末のハイカラ画人・河田小龍」の展示会が開かれた。また除幕式の翌日には、河田小龍曾孫宇髙通成氏・金剛流能楽師による「新作・龍馬」の公演が行われた。

かくして、宇髙隨生氏の願いは実現した。これから何をなすべきか。土佐が生んだ維新という時代の演出家、河田小龍の精神を二十一世紀の現代に、どう生かすかである。

知識人、小龍の辿った道

河田小龍という人物について調べているうちに、興味を持ったのは、本名や別名さらに号や戯号も含め、名前が実に多いことである。姓でも生家の「土生《はぶ》」から祖父の生家「川田」を継いだが、「河田」とも表示している。

名にいたっては、きわめてややこしい。幼名の「土生篤太郎」から始まって、十三歳で「寅太郎」、「小龍」という名で知られるまでに、「小梁」「松梁」「笑龍」を使ったといわれている。

このほかに「維鶴《これたず》」、「皤《は》山」「半舫斎」「大巧」「王淋」などの号がある。

戯号も面白く、人柄をよく表している。「小粱銭聾」とか「鄙人銭聾」（銭のことは聞こえません の意味）、「虚瓢子舞迂《からじしぶう》」、「半舫斎」というのがある。

「虚瓢子舞迂」とは、酒を飲めなかった小龍が、土佐の男の恥と虚《から》の瓢箪をぶらさげていたといわれている。「舞迂」とは放屁のブウーで、嫌いな人に会うと返事のかわりに放屁をした。

「半舫斎」は坂本龍馬との出会いがきっかけでつけた。大型西洋船をつくる話で、半分は龍馬で残り半分の責任を持つ決意の表れとのことだ。

小龍を論ずるとき、もっとも大事なことは小龍が画人であったことだ。現代人の感覚では単なる芸術家をイメージするかもしれないが、それは大変な間違いである。江戸時代の画人といえば、芸術面だけでなく写真家の役や都市計画や国土開発、藩の防備の設計など藩政に関わった。頭脳が優れ、知識が豊富で技術力を持つスペシャリストであった。小龍の歴史的評価にこれまで問題があったのは、江戸時代の画人について現代人の認識不足にあると思う。

河田小龍は文政七年（一八二四）十月二十五日、高知城下の堀川に面した浦戸坊片町水天宮下に生まれた。現在の高知市南はりまや町二丁目付近である。万次郎より三歳年上で、龍馬より十一歳年上である。

御水師の父・土生玉助維恒、母・礼子の長男として生まれた。御水師とは身分は低いが直参で、浦戸湾一帯の船や船頭の手配をする重要な仕事だ。俗称であったが、世間から尊敬されていた。

小龍が「御水師」の家系に生まれたことに注目したい。海に特別な感性を持ち、海から得る黒潮からの情報を幼少から感じて育った。万次郎と龍馬の繋役《つなぎ》としての役割は小龍の出生から運命づけられていたのだ。

祖父・金衛門の生家を継ぎ、川田小梁子和と名乗った小龍は幼児の頃から絵の才能に秀れ、神童といわれていた。十二歳のとき画人として身を立てることを決意する。十三歳で高知城下で有名な画人・島本蘭渓の「蘭渓塾」に入り、四君子（梅・菊・蘭・竹の中国や日本画の基礎）から学び始めた。

その後十六歳で陽明学の岡本寧浦の門に入り、林洞意にも学び、儒学や漢詩教養を身につけていく。当時の土佐は、朱子学から始まった「土佐南学」が陽明学の影響を受け、「理論より実践」「知行合一」思想が広まっていた。小龍はそうした陽明学を学ぶことで、勤王思想を身につけた。

弘化二年（一八四五）、二十二才のとき、小龍は江戸の画人谷文晁に師事しようと、江戸を目指すが、文晁の死を知り土佐に帰る。翌年吉田東洋の京都行きに従い、京の狩野派の画法を学んだといわれているが、これには諸説ある。諸説の詮索を別にして、この時期から小龍が吉田東洋から大きな影響を受けたのは確かなようだ。

小龍は京都で狩野派の画法だけでなく、幅広い知識を学び土佐に帰る。弘化四年、自宅に〝墨雲洞〟という画室をつくった。二年後の嘉永二年（一八四九）には長崎に、その後江戸に遊び見聞を広めている。画流も新機軸を生み出した。高知城下で随一の知識人で風流人であった。墨雲洞は絵を学ぶというより、時局を語り学ぶ若者たちの塾であった。

東洋の庇護の下、万次郎の聞き書き役として

当時、東洋は土佐随一の学識ある人物で、陽明学派であった。藩政の中心にいたが、海外政策に見識を持ち、その開明思想に反対派も多く、波乱に満ちた人生であった。家柄は馬廻りで禄高《ろくだか》二百石程度であったが、二十六歳で船奉行となり藩政改革に功績があった。蟄居《ちっきょ》の身であったとき、私塾を開き、後藤象二郎、岩崎弥太郎、板垣退助らの人材を育てた。藩主の山内容堂は東洋を参政に登用し、一時、土佐藩政の改革を断行、公武合体論のため倒幕に固執する土佐勤王党に暗殺された。

東洋は小龍の才能を評価し、薩摩藩に反射炉や大砲の鋳造法などの図取り役として派遣した。さらにジョン万次郎が帰国した際に、聞き書き役として小龍を活用した。

嘉永五年（一八五二）七月十一日、漂流漁民ジョン万次郎ら三人が、琉球・薩摩・長崎を経て高知城下に着く。城下は万次郎らの噂で持ちきりであった。土佐藩では一応取り調べという

形ではあるが、海外事情を知る漂流民として大切に扱った。毎日のように土佐沿岸に黒船が出没する時代である。

小龍が藩命により万次郎の取り調べにあたる。小龍二十九歳、万次郎二十六歳のときである。このときの状況を『小龍伝記』(高知市立図書館蔵)から見てみよう。

七月十一日高知城下に帰着した万次郎は、堺町の旅館松尾屋三作の家を宿舎として、毎日土佐藩の御目附役所に出頭し、更に外国滞在中の顚末を、審問されること二ケ月余に及んだ。此の時藩命を受けてその取調に当ったのは即ち小龍であった。小龍は彼を訊問するに際し、万次郎を浦戸町の我家に呼び寄せ、つぶさに西洋の事物を究めようとした。先ずその持っていた洋版に成る輿地図によって漂流の様子を質し、ついで西洋諸国の地理や風俗、文物など詳細に渉って、見聞する所を語らしめた。是を契機として海外の知識を得たことは頗る多かった。その上、万次郎から洋語を受けて大意に通ずるに及び、輿地図を手写した。

かくして完成した聞書が『漂巽紀略』である。『漂巽紀略』の「漂」は漂流のこと、「巽」とは辰巳という東南の方向のこと、「紀略」とは真実を概略記録した意味である。日本の東南方向に漂流した記録の要約となる。

　これをつくる苦労は並大抵のものではない。日本語を忘れ英語しか知らない万次郎と英語を知らない小龍との共同作業である。万次郎の海外語は珍奇そのもので、小龍の発案で万次郎と寝泊りをともにしてつくり上げたわけだ。この作業を成功させるには大目付・吉田東洋の力があった。東洋の万次郎への関心はきわめて強く、藩の審問が終わった後、自宅に万次郎を招き西洋の服装をさせて、西洋事情を聞いたといわれている。東洋の存在が、小龍をして万次郎の情報と思想を坂本龍馬に伝えることになるわけだ。

　小龍と万次郎は寝食をともにし友情を深め、志を同じくしていく。寺子屋に行けなかった万次郎は、小龍から日本語の読み書きを学ぶ。万次郎は小龍に英語を教えた。

　万次郎の語る漂流の恐怖、捕鯨、世界の海洋文化、そして米国の政治や人々の生活の話、とくに自由なデモクラシーの社会の様子について小龍は強い感動を覚えた。また、小龍は万次郎が持ち帰った地図などを正確に写しかえ、話の中で挿画とするとわかりやすいものを画にした。色をつけたものも多く、その実感性は読む人をして感動させるものだった。

小龍・万次郎コンビによるカラー絵入り図解書

全四巻の『漂巽紀略』の第一巻冒頭、「凡例」に小龍は力強く作成の理由を述べている。

一此書ハ漂流民等長く外国に在て四方に航海せし事数々、大地球を環経するに至れり。実に、(欠字)我邦人のいまだ嘗て無所なり。其行状の概略、各国の風俗亦考ふるに足もの少なからず。徒に之を聞捨も措しければ、筆に任せ其百一を抄録し、終に此小冊子を作れり。

『漂巽紀略』は嘉永五年(一八五二)の暮に完成し、藩主・山内容堂に献上された。容堂は幕閣に持ち込み幕臣に廻し読みさせたとの説があるが、この真偽は不明である。

じつはこの『漂巽紀略』は幻の書物となっていた。発見されたのは大正元年(一九一二)、ニューヨークのブルックリン博物館のキューリン館長が日本の古美術品などの蒐集のため来日し、両国の古書展示会で購入したのが『漂巽紀略』の手稿本であった。これが日本で発見された最初のもので、その後いくつかの写本が発見されている。

この書物、というよりカラー絵入り図解書の特徴は、欧米文化や海外事情を日本人に理屈抜きに視覚で教えたことである。文化の実態を正確に理解させるため、情報の伝達方法を絵や図で行うことの効果を活用した小龍と万次郎のコンビは、いまでいうなら優れた先端技術者であった。十年間にわたる万次郎の海外生活、そして特に米国の国情の紹介に力点が置かれていた。

要点を紹介しておくと、まず「ユナイッシテイト」（連邦国）の州を三十余州として、二十六州の州名を記載している。次に大統領（政官）になるためには「才学兼備」の人物が推され（選挙）、四年の任期で、全国の才士が大統領に選ばれようと競争していると、大統領選挙の様子らしきことを記している。また万次郎が米国に在留していたときの大統領を「テヘラ」（第十二代テイラー大統領）といい、「刑罰裁断法則を失わず」しっかりとした政治をしており、評判がよいとの情報を紹介している。

万次郎についての取り調べ記録や漂流記は他にもあるが、『漂巽紀略』ほど米国の政治に強い関心を示したものはない。日本の幕政や藩政と異なる米国のデモクラシーに対する憧れのような感動が生き生きと記述されている。

さらに、政治への関心とともに米国各地で体験した蒸気船や鉄道など、近代機械文明に関する絵図入り説明はわかりやすい。

小龍の直孫・宇高随生氏から私が直接に聞いた話によれば、小龍はこの書物をつくる際に大量の雑記帳を作成していたが、戦災で焼失したという。そこにはオランダ語あり英語あり、英語の発声法、ローマ字の和歌、化学の実験法、写真銀板法など、『漂巽紀略』に記述されていない情報がたくさんあったそうだ。

坂本龍馬と小龍の出会い

小龍が万次郎から情報を絞りとった場所は、浦戸の墨雲洞であった。士分平民・老若のへだたりなく人々が集い、議論する場所で画を学びにきた人にも、まず学問より入るべしと小龍は教えた。弟子たちの中には、のちに坂本龍馬の同志となって海援隊で活躍する若者たちが大勢いた。浦戸の墨雲洞が万次郎の海外情報の発信基地となり、土佐を超えて時代を変える渦潮となっていくが、そのために、天命はもう一人の人物を世に送り出すことになる。

その始まりは、河田小龍と坂本龍馬の出会いにある。これは人知を超えた天命の仕業としか思えない。龍馬は嘉永六年（一八五三）三月、剣道修行のため江戸に遊学する。小龍と万次郎が寝食をともにして、『漂巽紀略』を作成していた前年の嘉永五年には、龍馬は高知城下で暮らしていた。時代の流れに不安を感じながら、剣道で生きる方策を考え始めた頃である。

江戸遊学の藩の許可は一年間、京橋桶町の千葉道場で北辰一刀流の修行をする。ペリー米艦隊来訪の大騒ぎを体験したものの、世の中を変えようという気持ちなど持つはずもなかった。一方、万次郎は幕閣の要請で海外事情を幕臣に説明して開国を進言する。これらは既に述べたとおりだ。嘉永七年六月、龍馬は土佐に帰る。高知城下で悶々とした日々を過ごすことになる。剣士の道を志すものの、それでよいのか、何をすればよいのかと悩み続ける龍馬を、ある出来事が襲う。

安政の大地震である。嘉永七年十一月五日の安政南海地震で、土佐沖を震源地としてマグニチュード八・四という巨大地震が起こった。自然災害がもたらす悲劇や事態は人間に大きな影響を与え、運命すら変えることがある。龍馬の心を変え、河田小龍との出会いをつくったのが、安政南海地震であった。龍馬は高知城下の惨状と、震災を原因とした父・坂本八平の病気に悩むことになる。

龍馬は姉・乙女の夫で藩医の岡上樹庵を訪ね、父の病気について相談する。義兄の樹庵は、父の病気の話より、友人・河田小龍から聞いた万次郎の漂流談や海外事情を龍馬に語り、小龍に会うよう勧めた。龍馬はただちに行動を起こし、小龍に会いに行く。ここに、万次郎―小龍―樹庵―龍馬―小龍と、情報はネットワークしていく。

安政南海地震で困ったのは龍馬だけではなかった。河田小龍その人も大変な被害を受けた。小龍はその年の八月に、藩命で薩摩藩に派遣されていた。用向きは筒奉行池田欣之助と砲術師範田所左右次の随行として、反射炉や大砲鋳造の方法の図取り役であった。小龍はその足で単身長崎に行き、大いに海外知識を得て十一月四日に高知城下に帰着した。その翌日に大地震に襲われ、焼け出されたのだ。それから転々と住まいを変え、築屋敷の借家に落ち着くことになる。

龍馬が小龍を訪ねた年月日は明確ではない。大地震の後仕末などもあり、若干落ち着いたところと思うが、大方の意見は安政二年(一八五五)の年明けとみている。小龍と龍馬の交流は、『藤陰略話』として残っている。『坂本龍馬関係文書』(第一巻)(日本史籍協会編 東京大学出版会)に収録されているが、先人の解読も参考にして、どんな会話が交わされたのか、思い切って私の責任で、坂本龍馬が突然に築屋敷の借家に住む小龍を訪ねた様子を再現してみよう。

龍馬 米船が来訪し開国を求めている。幕府も藩も対応に混乱している。この時勢をどうすべきか、何か良策があればお聞かせ願いたい。

小龍 私は世捨人だ。書画を楽しむ風流人にすぎない。世上や時勢のことなどわかるはずがない。良策などあるわけがない。

龍馬 それはないでしょう。貴兄の新知識は城下でもっとも優れ、蓄積された多くの実績を知らぬ人はいません。是非とも胸中をお聞かせ願いたい。

小龍 そこまでいわれるなら申し上げよう。私は米国から帰った万次郎に海外事情を詳しく聞いた。自分でも長崎、薩摩で新知識を学んできた。世界は驚くべき変化をしている。文明技術の進歩は想像できないほどだ。それによって国や人の動きも大きく変わった。こういう情勢で日本人がどうして生きていくべきか。このままでよいのか。

何よりも海運を盛んに興さねばならない。そのためには大型船の建造が必要だ。早く西洋の科学文明を採り入れて開発に乗り出すべきだ。それにいまの貧弱な各藩の力ではだめで富国強兵を目指すべきである。

万次郎、小龍、龍馬のコラボレーション

出会いの話はこの程度のことと思われる。龍馬は小龍の話にショックを受け、後日、再び訪れ小龍の見識を学ぶことになる。龍馬は何度も小龍と会い議論することになるが、小龍がどのような話をしたのか、本人が著した『藤陰略話』の中から、要点を紹介しておこう。

「近来外人来航已来、攘夷開港諸説紛然タリ」これが書き出しである。ペリー米艦隊の開港要求に対する国内の攘夷論と開港論で紛糾している様子がわかる。小龍の個人的意見として、「攘夷ハトテモ行ハルベカラズ」、つまり攘夷、すなわち外国を排撃して鎖国を続けることは、やってはならないと断定している。その一方で開港については、仮に開港しても外国へ対応する備えが必要であり、無防備であってはならないと、楽観的開港論を戒めている。そして日本には役に立たない軍備しかなく、それを整備する制度もないが、持ち合わせのもので間に合わせるしかあるまいと論じている。当時、これだけの卓見を持つ人物は、吉田東洋と小龍くらいだろう。もちろん二人は万次郎の海外情報を持っていたからである。

例えば弓や鉄砲を船に載せて、浦戸湾を出て太平洋に乗り出すと、船は大揺れして目標すら

定まらんだろう。その上、乗組員の七〜八割は船に酔って役に立つまい。こんな状態で外国船がやってきたら、開港するのか鎖国を続けるのか定まらぬまま混乱するだろう。このままだと呂宋《るそん》（フイリッピン）のように外国人によって支配されることになるといった龍馬にとって驚くべき話であった。

また、土佐藩の対応についてきびしく批判している。当時、小龍の師にあたる吉田東洋は、藩政改革をめぐって守旧派と対立し、蟄居中であった。小龍の意見は東洋の見識であり、それは東洋の学識と体験そして何よりも、万次郎がもたらした海外事情を正確に理解していたことによる。しかし、安政二年（一八五五）時点の土佐藩は攘夷派が主流であり、万次郎は江戸で幕臣の江川太郎左衛門のもと、幕府海軍強化のため洋式船建造に全力を挙げていた。小龍は龍馬に「いまの土佐藩に何を言っても駄目だ。この危機をほったらかしにして、どうするつもりか」と怒りをぶつけたのである。

「故ニ私ニ一ノ商業ヲ與シ、利不利ハ格別、精々金融ヲ自在ナラシメ」。これは万次郎の米国生活や捕鯨船の体験をもとに、小龍が整理したものであった。世界に通用する商業を盛んにして、通貨を自由にすることだとし、そのとっかかりとして次の提案を龍馬に伝え返事を求めた。

如何トモシテ一艘ノ外船ヲ買求メ、同志ノ者ヲ募リ、之ニ附乗セシメ、東西往来ノ旅客、官私ノ荷物等ヲ運搬シ、以テ通便ヲ要スルヲ商用トシテ船中ノ人費ヲ賄ヒ、海上ニ練習スレバ、航海ノ一端モ心得べキ小口モ立ベキヤ

外国から船を一隻なんとかして購入して、船員として同志を集めよう。この船で旅客や藩や個人の貨物を運搬するなど商用に行い、船の経費を賄えばよい。航海の訓練にもなるだろう。この小龍の提言が、龍馬をして「亀山社中・海援隊」をつくる構想となった。この見識が明治維新を実現させたともいえる。

万次郎のもたらした海外情報や体験を、小龍が受けとめ整理し、行動方針として龍馬に伝える。ここに万次郎―小龍―龍馬のコラボレーションができあがる。龍馬は手を叩いて喜び、「船の購入は私がなんとかする。船員となる同志は小龍さんの方で集めてほしい」と語った。そこで小龍が言ったのは、封建幕政の俸禄に甘えている人間には、日本の危機に対応しようとする志はない。むしろ、民間に優れた志ある人物がいる。資金がなく事態を歎いているこの連中を活用すればいい。小龍は墨雲洞に出入りしている郷士・農民・町人出身の若者たちを思い出しながら龍馬に話したのである。

龍馬は剣術の道で生きることを考え、江戸の千葉道場で修行し、北辰一刀流の教えの中に不思議な力を感じていた。「北辰」という星座、北斗七星と北極星の動きを日本の国情になぞら

え、何かもっと大きなことをしたいが、何をすればよいかわからないという思いであった。小龍の話を直ちに快諾し、外国船を購入するための金策をすることになる。

ところが龍馬があてにしていた金策が父・八平の病死で不可能となる。安政二年十二月四日の父の死で、龍馬は外国船の購入を諦めなければならなかった。

小龍と龍馬の夢が正夢となるには、慶応元年（一八六五）に長崎に亀山社中を設立するまで、十年余という歳月が必要であった。

維新後、歴史の陰に隠れた小龍

小龍との約束が果たせなくなった龍馬は、外国船を購入して海運で国を発展させるにはどうすればよいのか、外国からの侵略があった場合どう対応するか、そして封建社会の身分制の下層で、優れた人材が悶々としている実態をどうするか。こうしたことに悩むようになる。

龍馬は兄・権平と相談して藩の許可を得て、再び剣術修行として江戸に行くことを決意する。時は安政三年（一八五六）八月二十日、高知城下を出発する。江戸には、勤王党で攘夷派の中心人物となる武市半平太が桃井道場で修行していた。

龍馬が江戸に二度目の剣術修行のため土佐を出た後、小龍はどのような活動をしたのか。小龍の師、吉田東洋は嘉永六年（一八五三）十一月に土佐藩参政に抜擢《ばってき》されたが、藩主の山内容堂が安政の大獄のあおりで蟄居を命じられ、東洋も藩政から離れる。文久元年（一八六一）には武市半平太が、土佐勤王党を結成する。そして、翌二年四月には、開明派の吉田東洋が勤王派によって暗殺される。この事件が土佐藩政の分水嶺となる。

東洋の暗殺で小龍ら弟子たちは大きな影響を受けて、活動を縮小していく。小龍は龍馬のいない土佐で、外国船を買う夢を捨てきれず、資金づくりのため、長浜の藻州潟で塩田を営み塩による収益を構想した。文久三年に藩の許可が出て事業を始めるが、資金不足で失敗する。龍馬に資金斡旋を依頼するなどのこともあったようだが、その頃、龍馬は土佐藩脱藩から始まる歴史の激流を泳いでいた。

小龍は慶応四年（一八六八）八月、浦戸の墨雲洞を手放し、『海を煮て嘆く歌』をつくり自分の不運を嘆いたといわれている。

維新後の小龍について、谷是、岩崎義郎、永国淳哉氏の名（河田小龍生誕地〝墨雲洞〟の碑を建立する会幹事）が、建立報告書で述べていることをまとめておく。

明治になると鉱山事業を計画して塩田の負債を返却しようとしたが、それも失敗。維新の混乱で画も売れず相当苦労し、一時高知藩士という県吏にもなった。明治十二年（一八七九）に隠居し、高知を離れて四国各地から九州を遊歴し、一時広島に居を構えたともいわれる。

明治二十一年元高知県令で当時京都府知事の北垣国道の招きで、琵琶湖疎水工事の進行過程を記録する大がかりな図誌作成の仕事をした。小龍の友人、富岡鉄斎所有の京都丸太町三本木の頼山陽旧邸に住み、ここから現場へ日参してスケッチ四百枚を書き上げ、まとめて本画六一景百七十葉の原本六冊と、工事完了後の最終本一冊を完成させた。

明治二十六年には長男・蘭太郎が京都で医院を開業するようになり、そこを住居として本来の画業に専念した。この時期に小龍にとってきわめて大事なことが起きた。

小龍が万次郎と共同作業で、『漂巽紀略』をつくり、万次郎の海外情報と体験を小龍の見識でまとめ、坂本龍馬に語り大きな影響を与えたことは述べたとおりだ。それを証明するのが『藤陰略話』で、『坂本龍馬関係文書』に抄録が収録されていることは知られている。その『藤陰略話』がつくられたのがこの時期であった。

万次郎・小龍について語らなかった龍馬

明治二十六年（一八九三）六月、内務大臣の通達に基づき、高知県が維新の功労者を調査することになり、近藤長次郎について甥の近藤忠吉に照会があった。忠吉は叔父・長次郎についてほとんど知らないため、京都の小龍に問い合わせたのである。

『藤陰略話』の「藤陰」とは近藤長次郎の号で、形の上では長次郎のことを書いたことになる。小龍は執筆にあたって「此事に就ては余人の事を述べ、且つ小龍が身の一笑話も出さざれば、長次郎の事に及びがたし」として、まず龍馬が小龍を訪ねてきたことから書き出している。さらに長次郎のほか長岡謙吉、新宮馬之助ら墨雲洞に出入りしていた弟子たちについても触れている。

問題は、小龍の活動が明治中期まで評価されていないことである。私が不思議に思えてならないのは、小龍が万次郎からの聞書『漂巽紀略』を作成し、それが開国や維新改革の原点のひとつとなったこと。さらに龍馬に、万次郎の話を伝え小龍自身の日本のあり方を教えることがなければ、龍馬の活躍はなかったといえる。

明治の中頃になってようやく小龍に行きつくという流れに、真実を歴史に残すことの難しさを見る思いである。万次郎についても同じことがいえる。明治中期には万次郎の功績はほとんど語られることなく、「幸運な漂流民」ということで歌舞伎になった程度である。

これには坂本龍馬にも責任がある。これまで見つかっている文書に、龍馬自身の話として万次郎についても小龍についても出てこない。そのため文献にこだわる研究者が「龍馬は万次郎に会っていない」などと断言して、それが歴史的事実となるわけだ。

龍馬の立場で考える必要がある。推論だが、人間は自分の人生を変える衝動的な影響を受けたことを語りたがらないことがある、ということだ。龍馬は手紙を書くことが好きで、多くの手紙類が残されている。しかし、万次郎と小龍については、手紙では語りつくせなかったのではないか。

万次郎は自分の運命と闘い、味方にし、創造して生きた。それは天命の受け人としての生き方で、それを小龍という人物が介在し、次の天命の受け人龍馬に繋いだ。この繋ぎ人としての小龍の存在はきわめて重要である。しかし、歴史の中に登場する機会は少なかった。人間そのものが清廉なうえ、無欲な生き方を続ける人間の宿命かもしれない。

それでも晩年には、画業に専念し明治天皇の前で御前揮毫《きごう》を行った。明治三十一年十二月十九日、七十五歳で死去。辞世の句は「肌寒し衣笠山の麓にて　あとさき消ゆる松の下露」であった。奇しくも同じ年の一ヵ月前、万次郎は七十一歳でこの世を去った。

第五章　龍馬活躍の背景と謎

平将門、徳川家康、そして小沢一郎まで流れる妙見信仰

本書を脱稿する平成二十一年（二〇〇九）十一月初旬になって、不思議なことに「妙見信仰」についての情報が、次々と湧き出すように私に寄せられてきた。自費出版の『妙見信仰の史的考察』（中西用康著　平泉明事務所）があることを知り、東京神田の古本屋を探しまわり、やっと手に入れることができた。

その「はじめ」に、次の文章を見つけ、立ちすくんだ。

過去の人びとの妙見信仰がそれぞれの時代相応の他の歴史事象と共どもに、各時代の内容として、国史の時代区分の上で、一役を演じていること、仏教伝来以後全時代に行われたこの信仰の変遷が、日本人の一つの解説となっていることなどが、おぼろげながらわかりかけたことは、幸せなことと思うのです。

平将門が関東の民のために起こした「承平・天慶《てんぎょう》の乱」（将門の乱）の背後には、妙見信仰に生きる多くの民がいた。平安の貴族政治を改革する戦いとなる。それは、妙見信仰を抜きにしては起こせない運動であった。しかし、将門の運動は失敗に終わる。妙見を信仰する民も散り散りになった。その後、二百四十年という歳月が流れて源頼朝による鎌倉幕府が成立する。

この鎌倉幕府の成立は、将門一族の後裔にあたる千葉常胤ら千葉一族の貢献なくしてはなしえなかった。千葉一族は妙見菩薩を信仰し、頼朝も源氏の八幡信仰と妙見信仰に厚く、枕頭に置いた矢が、「妙見の一手鏑矢」として知られている。妙見信仰が鎌倉封建制度という歴史をつくったともいえる。封建制度といえば現代から考えれば古い政治システムであるが、貴族政治から武家政治への発展といえる。

徳川家康も妻・万の影響で、妙見菩薩を信仰していた。『妙見信仰の史的考察』の論を知った直後、「Lemurian resonance 家康と龍馬」というブログを、千葉吉胤妙星氏から提供された。これがきわめて不思議で興味深い。少し長いが引用する。

古来から存在する妙見信仰に基づいて、徳川家康は江戸の北極星になろうとしました。日光は源頼朝の時代にも聖地であり、武門の間では妙見信仰は人気があったようです。

それだけこの信仰は強力な力を持っており、為政者側としては是非とも封じ込めておきたい信仰なのだと思います。

江戸幕府も坂本龍馬という北斗によって大政奉還させられるわけになりますので、結局この国では、北極星・北斗七星の受け渡しが権力の譲位を意味するのです。

坂本龍馬は高知城下から北に駆け上がった山上の田中良助宅に遊びに行っていましたが、この家の近くに北斗を模しているだろうと思われる七ツ淵神社（注）と北極星を模しているだろうと思われる巨大な巨岩（岩の小山）があります。そして、彼は後に北辰（北極星）一刀流の剣の達人になっていくわけです。

北辰（北極星）は権力にしがみつく人間達よりも、清い国家をつくろうとする若者達に力を与えたわけです（シラヤマリアがルシファーに力を与える時というのはこういう時をおいて他にはないでしょう）今でもこの妙見の本質は変わっていないと思います。

明治の神仏分離令の折に、全国各地の神社で妙見菩薩が天御中主に祭神変更されたのですが、それは本当に神道を尊重するために行われたのか、正史をさらに封印するために行われたのか、判断がしづらい状況があります。

と言いますのは、江戸末期の状況から考えても日本的な北極星信仰はむしろ妙見信仰にこそあったのではないかと考えられるからです。天御中主はちょっとわかりにくく、妙見菩薩の女神性はオホシサマと重なるからです。

それに何かと理由をつけて天御中主に祭神変更したのは、どうも、北の守護を置き強力な基盤を築いた江戸幕府でさえ、北辰の一青年・坂本龍馬によって転覆させられたのだから、妙見信仰そのものを潰して国家神道を打ち立てようとしたのではないかと思います。

帝都東京はこういう思想に基づいて建設されてきたのです。しかし、そのような都は北辰の自浄作用が働かないので、たった一三〇年ほどで今のような腐乱した状態となってしまったのです。

これからどうしなければいけないかは、ことさらに私が言うことでもなく、既に皆さんの心のうちに降りてきているはずです。それを実行するのかしないのか、単にその問題だけでしょう。

（注）七ツ淵神社は、平将門に呼応して瀬戸内海で乱を起こした藤原純友の妹が隠れていたとの伝承がある。純友も星信仰であったことが想定される。

このブログを踏まえて現代の政治を検証してみよう。平成二十一年八月三十日に施行された衆院総選挙で、「国民の生活が第一」というスローガンの民主党が勝利し、本格的政権交代を実現した。国民の投票による初の実質的政権交代であった。いや、日本史上初めての民衆による政権の樹立で、「無血革命」ともいえることだ。

これを実現させたのは、民主党関係者や支援者だけでなく、多くの人々の情熱の賜物といえる。この「無血革命」を指導した人物が、小沢一郎という政治家であったことは誰もが認めよう。この小沢一郎が妙見信仰の精神的DNAで、生かされてきたことを知る人は少ない。

小沢一郎の父・佐重喜は、岩手県水沢（現奥州市）の生まれである。ここは伊達藩文化の地で、妙見信仰が残り、千葉姓が多い。妙見文化の地だ。母・みちは、千葉県東葛飾郡風早村（現柏市）の生まれで、将門伝説の地だ。妙見信仰に生きる人々が多い。小沢一郎の精神的文化的DNAは妙見思想で充満している。

母・みちは「総理大臣は誰でもなれる。歴史を変える政治家になれ」という教育を息子にした。四十年にわたる小沢一郎の政治信条は「権力にしがみつくことではなく、清い国家をつくること」であった。さまざまな苦節の中、民主党政権を樹立するに至るキーポイントは、平成十八年四月に民主党代表に就任し、その直後の千葉県第七区の衆院補欠選挙で勝利したことであった。

この選挙区は、野田市・流山市・松戸市の一部で、将門伝説と妙見文化の拠点である。北辰一刀流は千葉周作が松戸で開眼・開祖したものだ。誰もが民主党候補が勝利するとは考えなかった戦いで、奇蹟的勝利を収めた。

妙見(北極星)は腐敗した日本政治を改めるため、小沢一郎に力を与えたと私は信じている。その後の参院選挙、そして衆院総選挙での勝利も、民衆のために尽くそうという民主党に妙見菩薩は力を与えたのだ。これからどうなるか、民主党が真に民衆のための政治を実現するか、どうかだ。民主党のあり方次第だ。

妙見菩薩に導かれ脱藩した龍馬

さて、龍馬と妙見信仰について話を戻そう。私は本書を執筆するまで、土佐での妙見信仰にまったく気がつかなかった。『妙見信仰の史的考察』の中にある「妙見寺社地理的分布表」によれば、昭和四十年(一九六五)現在で、土佐には八十三カ所に妙見社を祀っているのだ。その他に真言宗や日蓮宗を中心に著名な寺に妙見菩薩が祀られており、土佐は妙見菩薩の国であったのだ。

その中でも高知城下には「潮江天満宮」があり、ここは古代から星信仰の神社であった。平安前期、醍醐天皇のとき右大臣として活躍した菅原道真が大宰府に流された際、その子・高視が土佐に流され潮江に住むことになる。高視は父・道真にならい星(北極星)信仰で、それは妙見信仰であった。潮江天満宮はその影響で、星を信仰する「輪ぬけ」行事が残っている。潮江天満宮は龍馬の生家の近くで、子供の頃遊んだところだ。

龍馬は文久二年（一八六二）三月二十四日に、土佐藩を脱藩する。幕藩体制が弱体化したとはいえ、藩に所属する下級武士（郷士）が脱藩するのは、許されることではない。身分を捨てることだけでなく、龍馬の場合には経済的基盤を失うことであった。裕福な家に育ち何の苦労もなく成人した龍馬が、何の思いがあって脱藩という、生死に関わる決意をしたのか謎である。脱藩の前日、龍馬は高知城下郊外の神田村水谷山にある和霊様という小さな神社に、何事かを祈願している。この和霊神社とは龍馬の四代前の先祖、坂本八郎兵衛直益が宝暦十二年（一七六二）、坂本家の屋敷神として宇和島の和霊神社を勧請し、当時才谷屋（坂本家）の土地であった神田の水谷山に建立したものである。

高神公民館長で和霊神社氏子代表の佐竹敏彦氏の話によれば、祭神は山家清兵衛公頼《やんべせいべい》で、伊達政宗の長男である宇和島伊達初代藩主伊達秀宗の家老であった。宇和島藩の領民に善政を施したが、反対派の讒言《ざんげん》により非業の最期を遂げた。が、死後もなお藩主と領民を守護する出来事が起こり、山家清兵衛の冤罪を晴らし、霊を和ませようと、伊達秀宗が寛永八年（一六三一）に建立したのが縁起であるとのこと。

国学者でもあった坂本八郎兵衛が、大衆の守護神として信仰されていた和霊神社の由来を知り、分祀《ぶんし》したといわれる。龍馬は、文久二年三月二十四日に脱藩。前日に「吉野に花見に行く」と言って、和霊神社に立ち寄り、水杯を交わし、決意したという伝承がある。

和霊神社の因縁を知り、私は愕然とした。伊達といえば、妙見信仰で戦国時代を生き抜いた一族であり、先祖に千葉一族からの流れがあった。千葉一族といえば、豊臣秀吉の小田原北条攻めで敗北し、全国に離散する。しかし、優れた情報収集能力と統治力を持つ千葉一族は、妙見信仰に支えられ、各地の有力者のブレーンとなる。

伊達宇和島藩での家老山家清兵衛も、妙見信仰という文化の継承であったからこそ、領民に対して善政を施していたと私は確信する。和霊神社の坂本家による分祀、そこで龍馬が脱藩の決意を誓うことは、妙見信仰の精神的文化的DNAの継承である。

龍馬は妙見菩薩に導かれ、民衆を救済する国家をつくるため脱藩したと私は確信する。それが「天の意思」であった。龍馬とともに脱藩したのは地下浪人沢村惣之丞であった。後に海援隊士となる。龍馬脱藩の直後、土佐藩参政吉田東洋が土佐勤王党の過激派によって暗殺される。龍馬にも容疑がかけられたが、アリバイが成立していた。脱藩後の龍馬の足どりについて諸説があるが、江戸に現れるまでのことは私にとってさして関心はない。

剣術の顔を持った政治運動集団、北辰一刀流

脱藩潜行中の龍馬が、江戸に現れたのは文久二年（一八六二）八月、桶町の千葉道場にわらじをぬぐ。龍馬は桶町の千葉定吉道場を拠点に活動を始める。ということは北辰一刀流＝妙見

信仰文化の中での活躍ということになる。

龍馬の江戸での最初の行動は、幕府の政治総裁で越前藩主の松平春獄を訪ねたことである。脱藩者の龍馬が幕府の大老に並ぶ大物に会えたのは、どんな背景があったのか。実は千葉定吉の子重太郎が越前藩の剣道師範をしていた縁で、龍馬を紹介したのであった。春獄は龍馬の眼光に感じるものがあり、勝海舟と横井小楠に紹介状を書く。春獄の心を一瞬に捕らえる術は北辰一刀流の「妙見の法力」にあったと思う。

十月に入って龍馬は、千葉重太郎とともに軍艦奉行並勝海舟を訪ねた。松平春獄への訪問にも、勝海舟への訪問にも、北辰一刀流の千葉道場が関係していることに注目すべきだ。これまでの龍馬論のほとんどが、この点を見逃している。それは北辰一刀流を単なる剣術の一流派としてしか理解していないからである。

北辰一刀流は、剣術の顔を持った政治運動の集団で、妙見信仰という社会改革思想の運動を秘かに進めていた。龍馬の三度目の江戸生活は、北辰一刀流とともにあった。しかし、龍馬は、北辰一刀流から剣術以外の影響を受けたことを、手紙などの記録にしていない。そのため龍馬の活躍の裏に、北辰一刀流の思想である妙見信仰が隠されているのを見つけることができないのだ。

「人間の本能は、真に重要な部分を記録に残さない」というのが、私の人間観である。龍馬の手紙や記録だけで、龍馬の行動や思想を決めつけてはならない。

第二十四代相伝者・千葉吉胤妙星氏の話によれば、「千葉一族は龍馬を活用することになる。千葉定吉の娘で重太郎の妹・佐那と婚約し許嫁となる。その折、佐那は千葉一族以外には伝えてはならない妙見法術を伝えたといわれる」。

この「妙見法術」とは何か、実は私にもよく理解できない。早急に研究をするつもりだがとりあえず概略すれば、次のとおりとなる。

気合術の高度化したもので、相手を催眠させて自在にコントロールするとか、潜在意識をコントロールして有利な状況をつくる。北辰一刀流では「絶妙剣」という極意がある。これは刀を抜いた瞬間に、相手は斬られたと思う術である。「妙見法術」の一種といえる。

龍馬は土佐では高知城に登城すらできない身分の郷士であった。藩の高官に会う経験すらなく、せいぜい剣士として江戸の藩邸で山内容堂の御前試合に出る程度であった。脱藩した素浪人が、幕閣の重臣たちに堂々と会って語り合い、相手から評価されることはありえないことである。それができたのは、完全でなくとも「妙見法術」のある程度のことを修得していたからではないかと思う。

勝海舟は龍馬や千葉重太郎と会った後日談に「君らは拙者を殺しに参られたな」と、二人のど肝を抜き、世界の情勢を説いた。「愛国の熱誠が国防強化に進み、さらに西洋技術を逆手にとって、この国を強大となす新たなる道―それがおれの思想を、日本を生かすための大開国説というものだ」と語り、これを聴いた龍馬は、直ちに賛同して門下生となったといわれている。海舟の父・小吉は、本所の能勢妙見山別院で水垢離をして息子の幸せを祈っている。

龍馬は海舟の話に、河田小龍から教えられた万次郎の情報や考え方を思い出したに違いない。ここに万次郎―海舟―龍馬の三角関係が成立する。この関係を年表にして章末に掲載しておく。

万次郎・海舟・龍馬の見えない三角関係

勝海舟が生まれたのは文政六年、万次郎は文政十年（一八二七）、龍馬が天保六年（一八三五）である。生まれた場所は勝海舟は江戸の本所、万次郎は土佐の足摺岬の中浜村、龍馬は高知城下・本丁筋である。まったく縁のない三人が、天の意思が歴史の中で出会って協力したので、明治維新が生まれたのである。

三人の最初の接点は、嘉永六年（一八五三）である。勝海舟はペリー米艦隊の来訪を受け海防意見書を幕府に提出する。万次郎は米国の開国要請に悩む幕府から呼ばれ、幕閣で開国を訴える。龍馬は第一回目の江戸剣術修行で三月に江戸に着き、土佐藩の鍛冶橋屋敷の長屋で寄宿して、京橋桶町の千葉定吉道場で修行を始める。ペリー米艦隊の来訪で大騒ぎとなる中、江戸品川のお台場砲台づくりにかり出される。

万次郎が江戸に着いたのが八月三十日、鍛冶橋の土佐藩邸を当座の住まいとした。龍馬と万次郎は数カ月同じ土佐藩邸にいたわけだ。龍馬はこの頃、佐久間象山に就いて砲術を学んでいる。前年の嘉永五年には勝海舟の妹が象山に嫁いでいる。三人の関係はこの頃から見えない線でつながり始めていたといえよう。

勝海舟と万次郎が知り合った時期は明確ではないが、万次郎が幕府直参となり江川太郎左衛門の手付として、本所両国の江川邸で洋船の建造を始めた安政元年（一八五四）頃ではないかと思う。身分にとらわれない勝海舟は、万次郎に接触して海外情報を教えてもらっていたと思う。この時期、土佐に帰った龍馬は河田小龍と会い、万次郎の海外情報と思想を教えてもらった。

安政四年、幕府は軍艦操練所を築地に設置し、勝海舟が軍艦操練所の校長になった。万次郎も教授に抜擢される。『ボーディッチの航海書』を翻訳中のことで、航海術の講義を行っていたようだ。海舟と万次郎はますます交友を深めていく。

龍馬は前年の安政三年、再び剣術修行ということで江戸に現れたが、この頃は勝海舟や万次郎との接点はない。その後、安政五年に北辰一刀流長刀兵法目録を受け土佐に帰国する。

勝海舟と万次郎の絆を強くしたのは、咸臨丸での太平洋横断であった。海舟は咸臨丸の艦長となるが、航海に自信がなかった。そこで軍艦教授所の教授で、捕鯨船で世界を六周した万次郎をなんとしても乗船させたかった。幕府内部も咸臨丸の乗組員たちも猛烈に抵抗した。万次郎の身分が問題だった。しかし海舟は万次郎を通訳という形で乗船させる。航海は困難を極めた。もし万次郎が乗船していなかったら、太平洋横断は成功しなかっただろう。

咸臨丸には福沢諭吉も乗り込んだ。どうしても米国に行きたいという福沢の熱意が通り、軍艦奉行木村摂津守の付人として乗船した。この勝海舟・福沢諭吉と万次郎のコラボレーションが、日本の国を変えていく。万次郎はこの二人に海が静かなとき、問われるままに米国の国情や民衆の生活、政治の仕組や社会の様子について細かく説明している。

のちに龍馬が海外情報や米国のデモクラシー、人間の自由と平等について海舟から教えてもらうが、その話のほとんどは、海舟が万次郎から聞いた話であった。福沢諭吉がその後、日本随一の洋学者となり慶應義塾を創立できたのも、サンフランシスコで万次郎が案内して『ウエブスター辞典』を購入したことに原点がある。その他、万次郎が日本に持ち帰った書籍が数多くあった。代表的なのは、『図説米国海軍史』『米国海軍南半球天文調査報告』『図説米国史』『機械工学原理』などで、海舟が龍馬を使って「神戸海軍塾」をつくったときに貴重な資料となった。

万次郎にとって咸臨丸乗船が、幕府への最後の貢献であった。帰国後、万次郎を待っていたのは、幕臣からの羨望と嫉妬だった。米海軍の軍艦などで開かれるパーティーに出席して、高官たちと対等に英語で語る万次郎の態度を、「身分をわきまえない」と見る老中がいた。

万次郎は、咸臨丸が日本に帰港して六カ月後の万延元年(一八六〇)八月、軍艦操練所教授を免職となり、翌年から小笠原の開拓や調査を開始する。勝海舟とは交友を深めながら、開国のためのアドバイスを続けた。文久二年(一八六二)に海舟は軍艦奉行並となる。同年十月、龍馬は北辰一刀流千葉定吉の長男重太郎と、松平春獄の紹介で海舟に会いにいく。そして海舟の門下生となる。かくして、万次郎・海舟・龍馬の三角関係が成立する。

この三人に共通することがある。それは勝海舟も「妙見信仰」で知られていた。万次郎も星を信仰する船乗りであった。

万次郎と龍馬の不思議な運命の交差

龍馬や万次郎の研究家の間で議論になるのが、龍馬と万次郎は直接会ったことがあるかどうかだ。大多数の意見は「直接会ったことはない」というものである。理由は、手紙を書くことで知られている龍馬が一度も万次郎について触れていないことだ。さらに万次郎側の資料にも龍馬に会った記録がない。

文献を論証にすることは大事なことだが、それだけで歴史の真実を決めつけるのは神への冒瀆といえる。状況証拠で推測する方法論もある。少なくとも可能性の余地は残しておくべきである。私は万次郎と龍馬は何回か直接に会っていると確信している。その理由を述べる。

最初の出会いは嘉永六年（一八五三）だ。龍馬が三月に剣術修行で江戸は鍛冶橋の土佐藩邸長屋に寄宿する。同じ年の八月末、万次郎は幕閣の召集を受けて江戸に着く。宿泊したのは龍馬と同じ鍛冶橋の土佐藩邸である。同年十一月末に江川太郎左衛門の手付として江川邸に引っ越すまでの約三カ月の間、万次郎と龍馬は同じ土佐藩邸で暮らしている。話をしたかどうかわからないが、挨拶ぐらいはしたと思う。

次の出会いだが、万次郎が軍艦操練所教授を辞めさせられ、小笠原諸島の調査や捕鯨といった得意な海での活動をしながら、勝軍艦奉行並のブレーンをしていた文久二年（一八六二）から三年にかけてである。龍馬が海舟の門下生として活躍し始める頃に重なる。

当時の江戸には全国から攘夷にはやる浪人たちが集まっていた。龍馬は海舟が攘夷派の浪人たちから狙われていると心配し、弟分の岡田以蔵を海舟の用心棒にした。岡田以蔵は「魔剣の以蔵」といわれた土佐の軽輩で、示現流の達人であった。海舟は「おれより万次郎が危ない」と言って、岡田以蔵を万次郎の用心棒にする。谷中の墓地で浪士に襲われた際、以蔵の働きで万次郎は助かった。龍馬が海舟に示した配慮を、海舟が万次郎のために使う。こんな三人の関係は相当に深い。この時期、万次郎と龍馬が出会っていないはずはないと、私は確信している。

もうひとつ万次郎と龍馬が出会ったに違いない状況がある。万次郎は元治元年（一八六四）

十一月、幕府から離れ薩摩藩の開成所教授となる。そして慶応二年（一八六六）三月、土佐藩の開成館に勤めることになる。土佐藩の参政・後藤象二郎のブレーンとして、高知や長崎そして上海にかけて万次郎は土佐藩活躍のバックアップ役をやる。

当時の万次郎の足取りを見ると、高知から後藤象二郎と長崎へ出発（慶応二年七月）、後藤象二郎と上海へ行き土佐藩の船「夕顔号」を買い長崎へ戻る（同年九月）、再び上海に行き長崎に帰り（同年十一月）、英国の船で長崎から江戸へ向かい（同年十二月）、長崎に戻る（慶応三年）、長崎を出港し鹿児島で開成所の教授を続け、任期を終え長崎に戻る（同年十一月）。長崎を出港して江戸に帰る（同年十一月二十一日）といった具合だ。万次郎が長崎に滞在中の十一月十五日、龍馬は暗殺される。

慶応二年に万次郎が長崎に行き、後藤象二郎の側近で活動を始めた時期、龍馬は長崎を拠点に活躍している。後藤・万次郎とともに龍馬も上海に渡航したとの説もあるが、これは実証調査を必要とするだろう。後藤と龍馬がつくったといわれる「船中八策」の八項目「金銀物貨、宜しく外国と平均の法を設くべき事」は、万次郎の海外生活に基づくアドバイスである。これらのことから、状況判断として長崎を中心に、万次郎と龍馬は直接会ったと私は確信している。

ところで、万次郎と龍馬の動きを年表にすると、二人の間に不思議な運命の交差があることがわかる。万次郎が咸臨丸の成功で評価されるものの、米国流デモクラシーの習慣が批判され、軍艦操練所の教授を免職となり、幕府の要職から離れるのが、文久二年頃である。

同じ年の三月に龍馬は脱藩し、天命に動かされたかのように勝海舟と出会う。そして日本の洗濯に命を懸けることになる。万次郎と交代するように、歴史を動かす役廻りを担うのである。万次郎が日本に持ち帰った人間に身分の差をつけない清らかな国づくりを、北辰一刀流の奥儀である「妙見の法力」を身につけた龍馬が引き継いだといえよう。

龍馬と土佐藩参政・後藤象次郎

龍馬が勝海舟との出会ったのは、文久二年（一八六二）十月、二十八歳の頃のことであった。そして三十三歳となった慶応三年（一八六七）十一月十五日、京都の近江屋に潜伏した龍馬は陸援隊長中岡慎太郎と懇談中に襲撃された。龍馬は「脳をやられた。もういかん」と叫んで息をひきとった。慎太郎は二日後に息をひきとった。犯人には諸説があるが、今後も新説が出てくる可能性があるだろう。ここで論じるつもりはない。

文久二年十月から慶応三年十一月の五年一カ月の間の龍馬の活躍については、専門書もあり小説も多くあり、そちらに譲る。ここでは龍馬を支えた土佐藩参政・後藤象次郎と、郷士という低い身分ながら万次郎や龍馬の知恵を活用して、三菱財閥の始祖となった岩崎弥太郎との関係や背景について述べておきたい。

後藤象次郎は、天保九年（一八三八）高知城下土佐藩中級武士の家に生まれ、十一歳で父を失い姉婿の吉田東洋に養育される。少年時代、東洋が万次郎の漂流話を聞く席に陪席し、世界地図を貰って喜んだ話が残っている。万次郎の影響を大きく受けた人物である。東洋が暗殺された後、藩職から離れ江戸に遊学する。その後、藩主山内容堂の信任を得て藩政の実権を握った。

参政となった象次郎は、万次郎を高知開成館の教授に赴任させ、長崎を中心に交易に当たった。この時期、土佐藩は財政危機で殖産振興を図った。象次郎は商才に優れた弥太郎を活用する。この時期、象次郎は長崎で二度目の脱藩中の龍馬と会い、意気投合する。脱藩罪赦免となった龍馬は、海援隊の隊長となる。後藤象次郎が藩首脳を説得して「亀山社中」を発展させたものであった。約規には「本藩ヲ脱スル者他《た》藩ヲ脱スル者　海外ノ志アル者此隊ニ入ル」とあった。

龍馬は象次郎の三つ年上で、身分の差は相当にあったが、二人の合作で「船中八策」という大政奉還や五カ条の御誓文の原案となるものをつくる。これは近代日本国家の基本組織と役割を定めたものであった。明治政府では大阪府知事、参議などとなるが、征韓論で敗れて下野する。明治七年（一八七四）、板垣退助らと自由民権運動を起こし、自由党の結成に参加した。しかし弾圧を受けると板垣と政府の誘いに応じて、某財閥の資金で洋行し、非難を受けた。その後、逓信《ていしん》大臣や農商務大臣に就任した。

妙見の法力に加護された岩崎弥太郎

岩崎弥太郎は天保五年（一八三四）、土佐安芸郡井ノ口村の郷士の家来に生まれる。龍馬より一つ年上である。少年時代神童といわれたが、波乱の生活を送る。一時江戸で儒学を学ぶ。帰郷後、吉田東洋の小林塾に入門し後藤象次郎らと知り合う。慶応元年（一八六五）に土佐藩営の商社の役割をしていた開成館の下役人となる。ここで万次郎と知り合う。長崎を中心に活躍するが、海援隊では長崎での留守役・金庫番となり、龍馬と象次郎という希代の浪費者の後始末をして支えることになる。

龍馬と象次郎が設計した「大政奉還」は一応成功するが、武力討幕派のクーデターで鳥羽伏見の戦いが起こる。弥太郎は土佐商会に入り、土佐藩の兵站《へいたん》の仕事をする。その功績で土佐商会の経営をまかされ、廃藩置県により弥太郎は土佐商会を所有することになり、明治六年（一八七三）三菱商会と改称する。

三菱商会の主な事業は海運業であり、暗殺された龍馬の志を継承するものであった。また弥太郎は万次郎の指導を受け、海運業を中心に事業を発展させた。特に台湾征伐や西南戦争の軍需輸送を担当し、政府所有船舶の無償払い下げなどで海運業の独占に成功して、三菱財閥の基盤を固めた。

本書をここまで執筆したところで、私は岩崎弥太郎が妙見信仰と関係があったという不思議な情報に接した。安芸市歴史民俗資料館に問い合わせたところ、貴重な資料と情報をいただいた。弥太郎が生まれた井ノ口村（現在安芸市井ノ口）の北西方向の妙見山に星神社があり、現存しているとのこと。

いつからどんな経過で建立されたか不明だが、記録によると元禄十四年（一七〇一）に再興され「妙見尊皇社」となる。その後「妙見宮」として再造され、年代不明の「造立十三躰妙見大菩薩」が安置され、現在では「星神社」として人々の信仰を集めている。

弥太郎は郷士の家系に生まれたが、没落して地下浪人であった。学問を志し江戸に行くことを望んだが、叶わぬ夢であった。両親が岩崎家伝来の山林を売却して、学資をつくり、奥宮忠太郎が藩命で江戸に行く供の者として夢を叶えることになる。嘉永七年（一八五四）九月、出発する。安政南海地震の直前である。弥太郎二十一歳であった。

江戸への出発に先立ち、弥太郎は妙見山に登り、社殿の柱に、

「吾今回江都に遊学し後日英名を天下に轟かさゞれば、再び帰りて此の山に登らじ」

と大書して両親に感謝し、他日の成功を誓願した。

弥太郎は一年間の遊学で、故郷の井ノ口村に帰る。暴れ者として知られていた弥太郎は正義

感の強い青年で、郡奉行に反抗して獄に入れられる。そこでかつお節を商うことを考え、商才を生かすことになる。

龍馬と弥太郎は、ともに郷士の家系ながら龍馬は資産家に育ち弥太郎は貧しい地下浪人として苦労して育つ。性格や能力も正反対であった。しかし、暗殺された龍馬は海外との交易によって国を興す夢を抱いていた。それが弥太郎によって実現する。弥太郎も妙見の法力の加護によって、世界的企業「三菱」をつくることができたのだ。三菱のマークはペルシャの四元、北斗の四星を表したものである。

龍馬は何故北海道開拓にこだわったか

龍馬は、元治元年（一八六四）六月から慶応三年（一八六七）三月のわずか三年の間に、二度も北海道開拓移住計画を構想した。いずれも実現しなかった。明治時代になって龍馬の志を生かすべく、高知から何回か開拓移住が行われている。龍馬が何故、北海道にこだわったのか。私は平成二十一年（二〇〇九）八月、北光社で知られている北見市を訪ね、龍馬の謎を知ろうとした。

最初の龍馬の北海道移住計画は、元治元年六月に入って、勝海舟に攘夷の過激派浪人を幕府の軍艦に乗せて、北海道に移住させ開拓に当たらせるという構想であったが、池田屋騒動の煽りで実現しなかった。龍馬の発想は文久三年（一八六三）、土佐の同志・北添佶磨らが函館や江差方面を視察した見聞を耳にし、次々に命を落とす浪士たちを見かねて、北海道の開拓に当たらせようということであったらしい。はたしてそれだけの理由で、北海道にこだわったのだろうか。

二度目の構想は、慶応三年三月であった。大州藩船・いろは丸を借り受け、北海道開発を実現すべく龍馬は、長州藩士の印藤肇に手紙を送っている。現代文で紹介しよう。

先年、私が蝦夷地に渡ろうとして以来、蝦夷地に新しい国家を開こうとすることは、私の一生の念願です。一人でもやり遂げたいと思っております。

何故、ここまで龍馬は北海道にこだわったのか。浪人たちの命を護ってやりたい、という気持ちを超える何かを感じる。それは龍馬の潜在意識、すなわち「心」の中にある妙見信仰によるものだと私は確信する。「君子南面」という言葉がある。君子は宇宙で不動の北極星を背にして国を治めることを考える、という意味だ。

日本国を発展させるためには、北極星にあたる北海道を発展させる。これが妙見の法力による龍馬の精神であったのではないか。ところが、この年の四月二十三日、いろは丸は紀州藩の明光丸と衝突した。いろは丸は沈没し、二度目の北海道開発計画は挫折した。いろは丸事件で龍馬が衝突の非は明光丸にあるとした言動の異常さは、通常の人間の力で理解できない。妙見の法力という北辰一刀流の奥儀を活用したのではないのか。

そして地政学上、龍馬は近代日本発展の鍵に北海道を考えていたのではなかろうか。龍馬はお龍にしばしば北海道でゆっくり暮らすことを語ったという。北海道にこだわる龍馬の志を実現するにはしばらくの時間を必要とした。

龍馬の構想に初めて挑戦したのは、第一回衆院総選挙で高知第一区から当選した武市安哉であった。クリスチャンである武市は、政界の汚れに嫌気がさし、明治二十六年（一八九三）に衆院議員を辞め、二十数名の入植者とともに樺戸郡浦臼に「聖園農場」を開拓した。その成功状況を郷里に報告のため帰途中病死した。

本格的に北海道開拓に挑戦したのは、龍馬の甥・坂本直寛（南海男）であった。「叔父龍馬其人の典型を遺伝したる」といわれる人物で、板垣退助の立志社で活躍し、国会開設運動の指導者であった。龍馬の志である「人民共和議会思想」を普及し、植木枝盛に先んじて「日本憲法見込案」を執筆した。

明治十八年にクリスチャンとして洗礼を受け、政界を離れて北海道開拓と伝道を決意したのが明治二十九年であった。同志の片岡健吉に「彼の地に殖拓の事業を設計し、将来日本社会に一の潔き義に生る神の国を作り度存候」と伝えた。明治三十年一月、合資会社「北光社」を設立し、社長に坂本直寛、副社長に沢本楠弥、支配人に前田駒次が就任、資本金九万円で発足した。片岡健吉や西原清東らが協力した。

同年四月、高知市周辺の農民百十二戸六百五十人を乗せた高洋丸は、豊後水道・日本海を北上、宗谷岬を回って四月二十日網走に上陸して、北見国訓子府《クンネップ》に入植した。彼らは龍馬の果たせなかった夢を実現すべく、苦闘を続け北海道の開拓と発展に尽力した。

私が北見市を訪ねたのは、北光社が設立され入植してから百十二年ぶりであった。ホテルから「北光社跡を見たい」とタクシーを依頼したところ、公園となっている北光社跡の場所が知られていなかった。ようやく場所がわかり、寂しい思いで公園にある直寛の歌碑を見ると、「鞭あげて野辺はせ行けば黒駒の　ひづめが風に萩が花散る」と詠んであった。龍馬の夢の実現はこれからだと、私は心に誓った。

海舟・万次郎・龍馬の関係年表

時代	勝海舟	万次郎	龍馬	世の中の出来事
文政六年(一八二三)	江戸本所で生まれる			
文政十年(一八二七)		土佐国中浜村に生まれる		
天保六年(一八三五)			高知城下・本丁筋に生まれる	
天保八年(一八三七)				大塩平八郎の乱
天保十一年(一八四〇)	剣術と座禅の修行を始める			アヘン戦争
天保十二年(一八四一)		出漁中に漂流し鳥島に漂着、百四十三日後に捕鯨船ジョン・ハウランド号に救助される		
天保十四年(一八四三)		米国に帰港、オックスフォード学校で学ぶ バーレット・アカデミーで学ぶ		
弘化元年(一八四四)	剣術免許皆伝			
弘化二年(一八四五)	結婚、蘭学を修める			幕府海防掛を設置
弘化三年(一八四六)		捕鯨航海に出る	楠山塾入門、退塾	
嘉永元年(一八四八)	蘭和辞典「ズーフハルマ」二部筆写	一等航海士(副船長)になる	日根野弁治道場で剣術修行	
嘉永二年(一八四九)		米国に帰港		

嘉永三年（一八五〇）	父・小吉死去 私塾を開く	日本帰国の資金づくりのため金山で働く		
嘉永四年（一八五一）		琉球に上陸し帰国		
嘉永五年（一八五二）	海舟と号す 妹・順、佐久間象山と結婚	土佐に帰国 河田小龍が聞書「漂巽紀略」を作成、藩校教授館に出仕		
嘉永六年（一八五三）	海防意見書を幕府に提出	幕閣で米国事情を説明、開国を訴える 幕府直参となり中浜姓を名乗る 江川太郎左衛門手付となる 勝海舟と知り合う	江戸へ剣術修行 千葉道場入門 佐久間象山に学ぶ	ペリー来航
安政元年（一八五四）			江戸から帰国 河田小龍に会いジョン万次郎の情報を聞く	日米和親条約 土佐で安政の大地震起こる
安政二年（一八五五）	蛮書翻訳勤務を経て、長崎海軍伝習所に赴任			長崎海軍伝習所設置
安政三年（一八五六）			再び江戸にて剣術修行	ハリス米総領事来航
安政四年（一八五七）	幕府軍艦教授所を築地に設ける 長崎から帰り責任者となる	軍艦教授所教授となる 「ボーディッチの航海書」訳完成		
安政五年（一八五八）			北辰一刀流長刀兵法目録を受け土佐に帰国	日米修好通商条約 安政の大獄

安政六年（一八五九）		英会話書を出版	徳弘孝蔵に西洋砲術を学ぶ	
万延元年（一八六〇）	咸臨丸で艦長として太平洋を横断	咸臨丸に通訳として乗船するも、航海術で活躍 帰国後、軍艦操練所教授を免職となる		遣米使節団米国へ 桜田門外の変
文久元年（一八六一）		小笠原島の開拓調査に咸臨丸で行く	土佐勤王党が結成され、参加	
文久二年（一八六二）	軍艦奉行並となる 龍馬らが門下生となる		脱藩（前夜和霊神社に参拝） 松平春嶽を訪ねる 勝海舟を訪ね、門下生となる	吉田東洋暗殺
文久三年（一八六三）	神戸海軍操練所設立に向け龍馬らと動く	小笠原諸島で捕鯨	大久保一翁を訪ねる 勝海舟の尽力で脱藩赦免 勝塾塾頭に 佐那と婚約？ 藩名に背き再び脱藩	天誅組挙兵 八月十八日の政変（会津・薩摩らの公武合体派のクーデター）
元治元年（一八六四）	軍艦奉行となる 外国の長州攻撃の調停に長崎へ龍馬ら随行 海軍操練所設置 軍艦奉行免職	薩摩開成所教授に就任	勝海舟と長崎へ 横井小楠を訪ねる 北海道開発を計画するも頓挫	池田屋事件 第一次長州征伐
慶応元年（一八六五）	神戸海軍操練所廃止		長崎で亀山社中設立 薩長和解に尽力	武市半平太切腹

慶応二年（一八六六）	慶応三年（一八六七）	慶応四年（一八六八）（九月八日～明治元年）
再度軍艦奉行となる 長州との休戦に成功		陸軍総裁 西郷と会談し江戸城無血開城 明治五年（一八七二） 海軍大輔となる 明治三十二年（一八九九） 死去・享年七十六歳
土佐の開成館教授に就任 後藤象次郎と長崎、上海に行き「夕顔号」など購入		明治二年（一八六九） 開成学校（現東大）教授となる 明治三年（一八七〇） 普仏戦争視察 発病・静養生活 明治三十一年（一八九八） 死去・享年七十一歳
薩長同盟成立 寺田屋で襲撃を受ける お龍と薩摩へ新婚旅行 長州征伐の海戦に長州軍として参加	脱藩罪赦免 海援隊の隊長となる 下関に自然堂をつくる いろは丸事件 後藤象二郎らと船中八策をつくる 薩土盟約成立 洋銃千三百挺を購入して土佐藩に運ぶ 新政府綱領八策 十一月十五日暗殺される 享年三十三歳	
薩長同盟 第二次長州征伐	大政奉還 十二月九日王政復古	戊辰戦争 五か条の誓文を発布

終章　対談・龍馬と妙見の法力

北辰一刀流の秘密結社的側面

平野　今回の坂本龍馬についての執筆を始めるにあたり、今までにない視点からみた坂本龍馬を分析してみたいと思っています。特に司馬遼太郎の『竜馬がゆく』以降、あれは、あくまで歴史書ではなく小説なんだけども、どうもイメージが勝手に一人歩きしちゃって、いろいろな批判は承知の上で、私の龍馬論を書けたらなぁと、思っています。そして、私なりの龍馬の分析によって、日本の歴史の表にはなかなか出てこない潜在化した大きな一本の流れというか、まぁ、潜在化している国家的無意識というか……、結局は「やはり、この影響下で歴史は織りなされているんだ！」というものが再発見できたらと思っているんです。

ところで、龍馬は、願い出た二度目の剣術修行が藩庁に認められ、安政三年（一八五六）に再び江戸に出て、千葉周作の北辰一刀流を修行するわけですが、その後まったくの別人のように思考が変わり人格そのものが大変化したようですが。

千葉　北辰一刀流というのは、幕末の江戸三大剣術といわれた流派ですが、千葉家に伝わる妙見信仰を根本にしながら、非常に合理的な指導法で、多くの門人を輩出しています。千葉周作の先祖に当たる千葉道胤は北辰夢想流を創始しています。

私自身は、源頼朝による鎌倉幕府の関東総大将であった千葉之介常胤以来の武芸である「桓武千葉月辰伝妙見兵法」という家伝の武芸を伝承しています。

平野　実は北辰一刀流については、多くの研究や伝承があるのですが、私が興味を持っているのは、その技法はさておき中世の豪族であった千葉氏の系譜と信仰なんです。

千葉氏は桓武天皇、高望王、平将門とともに平国香と戦った平良文、源頼朝による鎌倉幕府創設と基盤の確立に大きな役割を果たした千葉一族の祖である千葉之介常胤と連なるわけですが、千葉一族といえば代表されるのが「妙見信仰」ですよね。

私が興味をそそられるのは、この妙見信仰と龍馬の接点なんです。源頼朝や日蓮からも千葉妙見宮は崇拝されていますよね。

千葉　はい。妙見菩薩は中世より千葉一族の絶対的な守り神です。さまざまな合戦の場で、妙見が現出し、加護を受けて勝ち戦《いくさ》に導いてもらえたようです。また、千葉一族が最大信徒だった日蓮宗の守り神でもありましたし、そもそも日蓮宗は千葉一族がスポンサーになり、大きく広まったわけです。

龍馬は千葉周作の弟の定吉、小千葉といわれた達人の門人で修行しております。実技は息子の重太郎一胤に指導されています。重太郎とは肉親並みに親しかったようです。

その意味では、確かに千葉本流の血で修行したわけですから、技術だけではなく、思想・思考・思念の影響は計り知れないものがあったのでは、と想像できます。

事実、私の父の曾祖父や祖父は千葉周作を物心両面で支援していた関係で、龍馬とも大いに接点があったようですが、私の祖父は曾祖父から「北辰には、日本全国各藩から、江戸の情報取りに武芸修行を隠れ蓑に血気盛んな藩士たちが集まった。いや、本当のところはある目的達成のためにあらゆる手段で集めたんだけどな」と伝え聞いてます。

平野　私もいろいろと調べてみましたが、千葉周作門下には実際にそうそうたる幕末の藩士たちが集まっていますが、なぜ千葉周作だったのでしょうか。

千葉　龍馬の場合は、江戸城鍛冶橋近くの土佐藩邸に留まり、そこから近い千葉道場に通ったのですが、事実、千葉道場は江戸の情報庫になっていたようです。ただの剣術道場ではなく、いわゆる秘密結社的・宗教的な側面を強く持っていたと聞いています。

これはあまり知られていないようですが、千葉周作が江戸で北辰一刀流を創始するにあたり、全国の千葉一族のネットワークが全面協力しています。各藩でも重臣が多く、特に当時の千葉一族は全国にわたる寺社にも強大な影響力を持っていたらしいです。

平野 なるほど、その関係で一瞬に北辰一刀流は広まったわけですね。千葉一族は、本当に全国各地に展開していますね。

千葉 はい、先ほども触れましたが、鎌倉幕府における千葉之介常胤の活躍で全国に二十カ所以上の領地を持っておりましたから、その地に居着いて、それぞれが千葉家を発展させています。そして、各地に寺社を建立したり守護したりしていくわけです。

私自身、調べてみて千葉一族が守護していた寺社があまりにも多いので、びっくりしました。名僧も千葉一族から多数出ております。

千葉一族の分布は大きく分けて、大本の房州千葉、千葉周作に繋がる東北千葉・武蔵千葉、そして鎮西守護人として肥前・薩摩を中心に広大な所領を誇った九州千葉とそれに合流した、モンゴル皇帝フビライによる蒙古襲来に房州より出陣した、宗家九州千葉といった具合になります。

歴史の裏舞台に顔を出す千葉一族

平野 千葉先生は、確か九州系の千葉一族ですよね。

千葉 はい、そうです。私の家系は、先ほど言いました房州千葉宗家からの宗家九州千葉一族になります。

平野　う～ん。ここが強く興味を感じるところなんですよね。きっと九州でも妙見信仰を広めたんでしょうねえ。

話を進めますが、司馬遼太郎の「鎌倉幕府がなければ日本の歴史は二流になっていただろう」なんて言葉があるように、初めての国家制度の成立といわれる大化の改新以来、おおまかに言うと平将門の乱を経て、新たな武家政治国家が鎌倉幕府で成立したわけです。そして戦国時代を迎え、徳川幕府により長い安定期に入ります。

しかし、当たり前のことですが、栄枯盛衰とかの問題だけではなく、制度疲労という物理現象というものはどうしても避けて通ることができません。そして大政奉還に至り明治維新が起こるわけです。

先ほども言っておられましたが、千葉一族の人は鎌倉幕府崩壊以降も、戦国時代から幕末に至るまで各藩の重臣としても、また仏教界・神道界でも活躍している人が多数いらっしゃいますよね。

千葉　はい。もう数え切れないぐらいおります。例えば、仏教界では両足院もそうですし、東京タワー前の芝・増上寺を創建した浄土宗第八祖の聖聡上人は千葉胤明です。

一族の私が言うのも変ですが、時代が下がっても千葉一族は優秀な人材が多かったようで、各時代で歴史の裏舞台には必ずといっていいほど千葉の人間が関わっているそうです。

平野　私は今までの著作でも多々述べていますが、人間とは祖先が築き上げた血と、育った場の歴史が微妙にかつ簡素に交差して、今を迎えているものだと確信しています。これは身近な人物を分析すれば、その因縁というものが事実だと認識できます。

千葉一族に伝わる家伝の武術・治療術

平野　幕末から明治にかけての話を少し伺いたいのですが、先生のお父様のご祖父様は何をされていた方なんですか。

千葉　私の曾祖父は千葉英之介平一胤といい、黒田藩の勘定奉行であり外科医であり、武芸や和歌の師範もしていました。その親は千葉賢蔵平延胤で、その親が千葉待之丞平辰胤になります。千葉待之丞平辰胤から黒田藩の奉行です。

もともと千葉一族は和歌の師範としても代々宮中歌会に参加していたようです。千葉英之介平一胤は特に九州福岡の縁で、玄洋社頭山満翁と昵懇《じっこん》で東京での彼の活動を応援していました。赤ん坊の頃の父が頭山満翁の髭を引っ張って遊んでいる写真が残っています。今は赤坂プリンスホテルになっている所が邸でした。

平野　ほぉ、黒田藩に士官されていたのですか。私も頭山満翁の流れとは多少縁があります。ご先祖は外科医もされていたそうですが、それはやはり千葉家伝の特別な技法を含む医法なのですか。

千葉　はい、家伝の『妙見兵法桓武千葉月辰伝』の中の活法が基本になっています。そういえば、坂本龍馬の婚約者になっていた千葉道場の千葉重太郎の妹、千葉佐那子、一般的には佐那と言われていますが、千葉家では佐那子と呼んでいました。佐那子は、明治十八年（一八八五）に東京千住で「千葉治療院」を開業しました。本当によく治る不思議な治療として評判だったそうです。これも、千葉家伝の活法が基本になっていました。

平野　なるほど、その関係で先生は武芸だけではなく、独特の活法整体術も伝承しているわけですね。治療法を教えてもいらっしゃいますよね。

千葉　はい、私は現在『活法　月辰会』として、この活法治療術を教伝しております。門下生には向上心のあるプロの治療家の方が多いですね。

平野　私も以前何度か拝見しましたが、確かに不思議な治療法ですねえ。私が関係する議員をしている人間も歩行できずに寝たきりになってしまい、手術予定日の前日に知り合いの議員仲間の紹介で先生の活法整体術を受け、一瞬で全快しましたが、本人は未だに信じられないと言っていました。現在でもそのような技術が伝承されているのは、とても貴重なことですね。

ところで、龍馬の婚約者だった千葉佐那が開院していた千住といえば、武蔵千葉家の住居地の意味から地名がついたところですよね。やはり千葉一族のネットワークから千住という地を選んだのでしょうか。

千葉 そうらしいですね。この治療院も特に千住の千葉一族が応援したそうで、たいそう流行っていたそうです。父の祖父も月辰伝の活法治療法を一部教えたことがあるそうです。佐那子自身も剣術や馬術・長刀の免許皆伝者ですし、家伝の活法や針灸《しんきゅう》も体得していましたから、治療もかなり上手だったと聞いています。

一族以外に教伝してはならぬという掟

平野 先生ご自身は、やはりお父様から家伝の武術や治療術を相伝されたのですか。

千葉 はい、父の千葉雅胤玄峰から相伝を受けました。あとは、叔父や親戚筋に相伝者がいたものですから、その方からもずいぶん手ほどきを受けました。それと、自宅はあまり広くなかったのですが、結構いろいろな古武術の宗家や、講道館等の古い師範たちがよく遊びに来ていて、毎回酒盛りの宴会でしたから、盛り上がってくると武芸の披露会になったり、奥義の話なんかで楽しんでいましたので、私も自然と、というか強制的に人身御供のように、稽古に参加しておりました。楽しかったり、感動したり、痛くて泣かされたりの日々でした（笑）。

そのお陰様で、うちの千葉伝の兵法だけではなく、他の古武術の目録も頂戴できたり、比較できたりしましたので、かなり幸運でしたね。でも華法（いたずらに見た目にハデ）にしたくないという理由もあり、道場は持ちませんでした。中伝以上は、一族以外には教伝してはならないという代々の決まり事も理由にあったみたいですけど。

平野　お父様の千葉雅胤玄峰様は、家伝を守るため町道場を持つなどはしなかったそうですけど、他流の宗家や師範たちとは交流があったわけですね。先生から見て、やはりお父様の雅胤玄峰様はすごい武芸者だったと思いますか。

千葉　はい、すごいと言うより困るほどすごすぎました。父は先の大戦で軍隊に行ってます。銃剣や武術の先生が、父があまりにも強すぎるため逆に教えを受けたりしていたので、裏でも随分得させてもらったようです。戦後は国鉄の田町駅前で、飲食店や酒場、和菓子店、整体院など、いろいろやっていました。その関係で、戦後の暴力の町と化した田町の民間用心棒をしたり、駅前の再開発や整備においても、徹底的に暴力団や愚連隊を力でねじ伏せたそうです。

母の話ですと、当時は警察の力がなきに等しかったもので、みんな父の所に助けを求めてきたそうです。仕方なく相手をこてんぱんにやっつけちゃうので年がら年中、警察署にお泊まりさせられていたそうです（笑）。私が幼少の頃、家に遊びに来ていた地元警察署の年配の刑事さんから直接聞いた話ですと、留置されている父に、「先生またしばらくいて武術の稽古をつけてください。不自由させませんから」と、警察官は大歓迎で迎えたそうです。人間味のある呑気《のんき》な時代ですよね。

千葉家の家紋に秘められた教え

平野 あははっ。またずいぶんと豪快なお父様だったようですね。あと、お父様はじめ、ご先祖から千葉家に代々伝わる、家訓とか精神的な戒めや教えなど、武術的なものの他にもなにかありましたら教えていただけないでしょうか。

千葉 いろいろありますが、武術から離れているわけではありませんが、いいでしょうか。ただし話すと長くなりそうですが。

まず「離観・高観・影観・光観」です。この話は私の場合、高弟にしか教えておりませんが、それではこの際なので特別にお教えしましょう。千葉の家紋は月星です。一つの円の中に、三日月と小さな星で構成されておりますが。どんな家紋の研究書にも書かれていない秘密があります。

実は、この家紋の星は地球を表しているんです。宇宙から観た地球と月を表します。すなわち、宇宙空間から観た地球の影の余りが三日月になっている姿を表しています。地球外から観た実相なんです。中世の時代からこんな発想があったのを知り、私自身びっくりしました。私の門下生に元デザイナーの女性がいるんですが、この話をしましたら、「こんな宇宙から見つめた地球と月の姿なんて、まるで地球のロゴマークみたいじゃないですか。先生の先祖はもしかして宇宙人？」なんて言われました。「それは鳩山さんでしょ！」と答えておきましたが、確かに普通は目前の自然界の形や動植物や器物のデザインですよね。

従いまして、先ほどの「離観・高観・影観・光観」とは、あらゆる事象は平地から観るのではなく、まず離れて観なさい、高い位置から観なさい。自ずと自身の影（暗部）を知り、陰の力を知り、戴いている光に因する、己の輝きに心しなさい。因を忘れぬ心、これを恩義と言います。これをいつも耳にタコが5、6個できるほど教えられました。

次に「月観・陰観」です。これは千葉の人間は陰で生きよ、ということです。月を仰ぎ観るとき、光無い処、これ我が星地球の陰影なり。光に囚われることなく全てを観取れ。陰少なきは月の欠けなり。陰大きは弧月なり。陰で努力してくれている人、陰で守ってくれている自然や先人の力で、己の光り方が決まるのだということですが、事実源頼朝が千葉之介常胤の人間力・人間の本質を重臣たちの前で「常胤を見習え！」「常胤は心の父である」と言ったことが伝わっています。

現実に常胤は、自身をこのように戒めていたために、絶大な信用を得たそうです。私に至っては、陰の生き方と夜の生き方をはき違え、ただの夜好きの人間で止まってしまっていますので、ご先祖様はおそらく怒り心頭でしょうね。

それから「人観るも観ざるも月ここに光り、人観るも観ざるも陰ここにあり。人観るも観ざるも我ここに観、人観るも観ざるもわが陰を知る」です。これは坂本龍馬が言った「我を知るは我なり」と同じような意味ですね。これらは千葉家伝というより、家紋月星の教えといった方が正しいかも知れません。こんなところですかねぇ。

臨界点を経て脈々と現代まで

平野　えっー、千葉氏の月星の家紋にはこんなすごい意味があったんですか。宇宙空間から観た地球の実相。いや、びっくりしましたが、さすがに家柄というか伝統というか、実に感銘を受けました。確かに龍馬も同じような考えを実践していますよね。

千葉　そう思います。龍馬は明治十六年に土陽新聞に『汗血千里駒』が連載されるまで一般には知られた存在ではなかったようですね。自由民権運動の宣伝に使われたような一面もあるようですが。そして昭和三十七年（一九六二）でしたか、司馬遼太郎が産経新聞で書き始めた、かの時代小説『竜馬がゆく』で「忘れられた大切な日本人像」を龍馬に託したと思うのです。

自らの名誉も名声も意味を感じず、ただひたすら日本のために行動した。龍馬は、ただそれだけなのです。だからこそすごいんです。この純粋なエネルギーは、残気として後世の誰かを通じて永遠に我々に影響を与えるでしょう。おそらく、関東人を純粋に救おうとした平将門以来の残気ではないでしょうか。

平野　ちょっと待ってください。今、平将門の残気っておっしゃいましたよね。
千葉　はい、言いました。すいません。
平野　私は、平将門は純粋に政治改革を実行しようとしたと考えています。平将門は、関東人のために腐敗しきった公家政治を打ち壊し、新たな政治システムを構築しようとしたのだと思うんです。結果的には失敗しましたが。
　当初は平国香や叔父との内紛をきっかけに、常陸の国を占領した将門は、さらに勢力を伸ばし、関東八カ国の独立を目指しました。当時、地方では律令制度が崩壊し、有力者や貴族・寺院が荘園という私有地を拡大し、国司は農民から税を徴収し、私腹を肥やすことに専念していた。それぞれの勢力が武士団を作り、領地をめぐって争い始めた時代でした。武士将門はそのような武士団の統率者として、有力者や朝廷の圧政に苦しむ関東人の希望の星になったわけです。そして、関東独立国家をつくろうと立ち上がった。
　これは、現在の日本ともダブっています。一言で言えば将門は地方分権の先駆けではないでしょうか。そして時代が下がり、将門の残気が実ったのが源頼朝による鎌倉幕府の成立、さらにその残気が徳川幕府まで続くわけです。その後、龍馬たちによって大政奉還・明治維新が起きるわけです。あるところで臨界点に達する。勝手な解釈ですが。
千葉　確かに脈々と繋がっていますよね。会津戦争では退却の途中で白虎《びゃっこ》隊の少年たちが互いに刺し合い自害しました。その姿は、先の大戦の雛型《ひな》にさえ思われます。
話を戻しますが、臨界点という意味では自然界と共鳴すると破壊力が伴います。例えば、江戸だけでも死者が四千七百人にのぼったという安政の大地震。これはいよいよ維新が始まりかけたときに起きました。小石川の水戸藩邸では藤田東湖が、また同時期に北辰一刀流千葉周作が亡くなります。これらはまさしく臨界点の様相を示しています。

平野 ほんとうにそう思います。ここで私が重要視したいのは、各時代の臨界点における破壊と創造の作用を古来何かが司《つかさど》っているのではないかということなんですが。
平将門の乱以降から考えた範囲に限定しても、将門の残気自体を今に繋げている何かがあるのではないかと。

千葉 あははっ。さすが、平野先生は感性が鋭いですね。その時代の臨界点には、私の祖先も大いに関わっていますね。平将門とは千葉の祖である平良文が親戚として、ともに国香と戦い大いに協力し合っていますし。そういえば、このときも妙見様が出現し加護を受けています。頼朝の鎌倉幕府の成立と基盤を作ったのは千葉一族の祖、妙見の加護を受けた千葉之介常胤ですし、頼朝自身、妙見の加護を受けています。
千葉一族が最大信徒だった日蓮宗も妙見を宗派の守り神にしています。仏教嫌いな水戸徳川家でも妙見を大切にし、千葉一族を重用しています。

明治維新では、龍馬が師事した妙見剣術の千葉周作をはじめ、定吉や重太郎一胤をバックアップしていた千葉一族のネットワークの中心人物が、妙見菩薩を大切に信仰していた父の曾祖父の千葉賢蔵平延胤や、父の祖父の千葉英之介平一胤だったりするわけです。九州とくに肥前や薩摩なんかは千葉一族の所領だったために、当然ながら妙見信仰の文化が強かったわけですから。

ほんとに平野先生がおっしゃるとおり不思議に一本の脈を感じます。

平野　なるほど。やはりそうですよね。そして今、現実に起こった日本の政権交代と続いてます。今後まだまだ変化・進化していくとは思いますが。

千葉　そう言えば、民主党の小沢一郎幹事長のお母様は平将門由来の妙見信仰の地のご出身で、お父様も水沢の妙見信仰の歴史がある地のご出身だと、平野先生は以前おっしゃってましたよね。

平野　そうなんですよ。なんか核心的なことを、私は勝手に感じているんですよね。

星神信仰と武芸の血脈

平野　話はいきなり戻りますが、私が強烈に感じるのが、龍馬が江戸の千葉道場に通い出してから、龍馬の人間性がガラッと変わってしまったような気がするのです。

先ほど先生からも話が出ましたが、千葉道場は江戸の情報集めには最適な環境だったことを含め、当然全国から集まったいろいろな血気盛んな藩士たちと交流したことも大きなポイントになるとは思いますが、私は少し違う角度から分析してみたいのです。

龍馬が強く影響を受けたのではないかと考えられる千葉一族の信仰母胎である妙見信仰について簡単に説明していただきたいのですが。

千葉　妙見信仰は元々、星神信仰で、星神信仰の源流は中央アジアの砂漠地帯の民の信仰だといわれています。要は何の道標も道もない環境で、唯一頼りになるのが夜空の不動の北極星なんです。故《ゆえ》に天の中心である天帝すなわち、この世の中心にある神とされていたようです。妙見尊星王、北辰妙見菩薩とも呼ばれていますが、陰陽道や道教とも要素が混交しています。

また、千葉一族の本流は、必ず「胤」という字をあてます。千葉からの分家の場合でも、千葉一族の証しに「胤」をつける場合もあります。これは桓武天皇の「ご落胤《らくいん》」という意味ですが、実は「胤」という文字には少し秘密の別の意味があります。

北の方位を司るのは玄武という神です。つまり北極星のある方向です。その「玄」の下に月星紋の「月」を置くと「胤」という文字になるわけです。つまり「胤」という文字自体が妙見を表しているのです。

私の長男は「充胤」、次男は「智胤」というように今でも、先祖代々「胤」をあてる決まりがあります。すなわち妙見に守られている者を表しているのです。

平野　私の住居の周りにも妙見信仰の名残が多々見受けられますが、その中心思想というか不動の神というか、そのへんは武芸にどう関係しているのでしょうか。

鎌倉幕府の軍事指揮官であった千葉一族は政治色よりも、軍事色・武芸に長《た》けていた血脈といわれていますが、千葉周作の北辰一刀流以外にも日本古武道に影響を与えているのでしょうか。

千葉　あまりこのことは言わないようにしていたのですが、日本古武道の源流に、千葉一族は大きく関わりがあります。房総千葉という土地と千葉一族は古武道発祥の点からも切り離せません。

平野　具体的には千葉一族と、どのような古武道流派が関係しているのですか。

千葉　主な武芸流派だけをあげてみても次のようになります。

香取神道流　開祖は千葉氏家臣・飯篠長威斎家直です。彼も千葉一族です。妙見菩薩を信仰し神道流の体系を編み出したといわれています。

鹿島新刀流　家直の弟子から常陸鹿島の塚原安幹が出て、開祖・塚原卜伝が出ます。

宝蔵院流　鹿島新刀流二代盛近からは、山倉播磨守を経て、槍で有名な宝蔵院流開祖・宝蔵院胤栄が出ます。

念流　開祖は千葉之介常胤の次男・相馬師常の末裔である念阿弥慈音和尚です。

小野派一刀流　千葉一族ではないのですが、房総希有の剣豪・小野忠明が開祖です。徳川幕府の指南役を務めました。

北辰一刀流　小野派一刀流と中西一刀流を併せて取得し、家伝の北辰流を合法し妙見菩薩の開眼を得て東北千葉氏の千葉周作成政が創始します。

一子相伝の妙見法術

平野　なるほど。房総千葉という土地と千葉一族の武芸の血脈には、すごいものを感じますねえ。

話は少し戻りますが、坂本龍馬は小栗流を手始めに千葉一族の妙見信仰に基づく剣術である北辰一刀流を修得したわけです。龍馬は初伝目録までしか修行していないとか、いや免許皆伝まで印可されているとか、諸説あるようですが、私はそんなことはどうでもよいのです。そんなことより、剣術修行によりその後龍馬は何かに取り憑《つ》かれたように開眼したと、私は感じるのです。

ひょっとしたら、千葉周作の北辰一刀流の技法そのものではなく、そこに潜在化する妙見信仰に関わる何かに、大いに関係しているのではないかと思っているのです。北辰一刀流を伝承なされている先生よりも、むしろ千葉一族の本流の血を受け、かつ千葉一族の大本の妙見信仰による家伝の活法や武芸を伝承しておられる千葉先生に直接伺いたかったのは、そのあたりが理由なんです。

千葉　龍馬の悟りは剣術や妙見信仰よりも、むしろ「妙見法術」だと思います。

平野　えっ。妙見法術って何ですか。それは、武術とも関係あるものなんですか。

千葉　関係あるというよりも、これが基本に成り立っているのが、千葉一族家伝の活法や整体治療法や兵法武術の術理なんです。

簡単に言いますと「妙見兵法桓武千葉月辰伝」の中核が「妙見法術」です。先ほども出た龍馬の婚約者だった千葉佐那子の「千葉治療院」でも妙見法術による治療が行われていました。

この妙見法術は千葉一族以外には伝わっていませんし、伝えてはならないと、私は父から強く言われていました。ただ、一子相伝の難しさと失伝の恐怖が先祖代々の悩みの種になっているのも事実だと言えます。

父の代でも、どこで調べてきたのか、武術の研究家や宗教家や作家の人なんかが、けっこう教えを請いに、芝の三田の家に訪ねて来てました。そう言えば私の所にも、ときどき怪しげなのが聞きに来ます。平野先生のことじゃないですよ（笑）。だいぶ前ですが、宗教団体に「妙見法術を教えてくれたら最高幹部で迎えるから」なんて言われたこともありました。

平野 それは坂本龍馬との関わりも含めてですか。

千葉 いえいえ、龍馬との関わりで聞かれたのは多分平野先生が初めてだと思いますよ。ただ、歴史の裏舞台に千葉一族ありという話がときどき出てくるようです。

そういう意味では父の祖父あたりは龍馬の暗殺の件では、随分聞かれたそうです。また、千葉の武術や活法の研究の中で、妙見法術に行き着いていく人もあるようなんです。

でも父はいつも、ぶっきらぼうに「そんなものは知らない」の一言でした。だから私もぶっきらぼうに真似してます。

なんかだんだん本質に近づいて来ちゃいましたが。

本来は先祖代々の禁を破ることなのですが、私の主宰している活法月辰会や桓武月辰流柔術では奥伝取得者や、かなりの高弟のみですが、ある程度相伝しています。

中庸の世界の妙見法術

平野 妙見法術というものに非常に興味を感じます。理解できるかどうか、なるべくわかりやすく教えてください。

千葉 わかりました。それでは妙見法術の基本を説明いたしましょう。でもけっこう長くなりますよ。

例えば、陰陽という考えがあります。単純にいえば、これは生成化育。すなわち物事の事象の成立・相反作用などを表します。上に対して下。右に対して左。明に対し暗。相対的比較の世界です。妙見法術ではこれに「律」という考えが加わります。

律とは中庸のことです。陰陽よりも大きく考えます。陰・中庸・陽をもって三元といいます。この中庸は陰陽に対し、その補完作用を表します。上に対しては距離とか向きとか、内包・付属される世界。すなわち属性の世界です。陰陽をコントロールする大本の作用でもあります。

陰陽でいえば、相手を斬る行為に対して斬られる世界が現れます。

律でいえば、斬り方すなわち斬る角度・斬る深さ・斬る速さ・斬る長さなどの世界や、斬られない位置・斬られないときなどが現れます。

平野　一般的にいう中庸とは違いますね。陰性を強くしたり弱くしたり、逆に陽性を強くしたり弱くしたり、すなわち中庸の作用により陰陽の特性が変化したり、強化されたり、減少したり、意味が深まったりする感じですか。

千葉　さすが平野先生。すごいですね。そのとおりです。初伝目録差し上げたくなります（笑）。ご理解いただけたので、それではもう少し続けましょう。

陰陽で色をたとえてみましょう。黒色と白色を対極に考えてみます。黒色を陰として白色を陽とした場合は律（中庸）は何になるでしょうか。律（中庸）は陰陽を強くしたり弱くしたり自由自在にその属性を作り出す世界です。「黒色と白色の中庸は灰色じゃないの？」と考えるのは陰陽の考え方です。妙見法術では、この答えは「光」になります。

光という律（中庸・光）が強くなれば黒色は灰色に近づき、白色はさらに明るい白色になり、律（中庸・光）が弱くなれば黒色は深まり、白色は灰色になり、律（中庸・光）がさらに弱くなれば黒一色の世界になり陰陽が消滅します。

平野　なるほど、世の中、いや世界、いや宇宙は中庸しだいということですね。中庸しだいで陰陽が変化してしまうわけですね。龍馬の宇宙観もこれなんだ。

千葉　そういうことです。中伝目録を差し上げたいです。

平野　あははっ。私は、今の日本の世の中、全てにおいて熱く燃える情熱が足らなすぎると感じているのですが、言い換えれば全てにおいて冷めていると感じています。

熱い・冷たいを妙見法術の律で考えると、その中庸は何になるのでしょう。その答えが今の日本に足りないものの根本的な答えになる気がします。

千葉　自分で考えてください。

平野　そう言わずに、熱い・冷たいの中庸を教えてくださいよ。

千葉　はいはい、わかりました。平野先生には「そんなもの知らん」とは言えませんので、単刀直入にお答えします。熱い・冷たいの律（中庸）は「距離」になります。

例えば火にかけたヤカン。火に近づければ熱くなり、火から遠ざければ冷めます。例えばストーブ。近ければ暖かいし。離れれば寒いですね。例えば将来の夢。少しでも近づけば燃えて来ますし、遠い夢なら冷めます。例えば政治。身近な問題なら熱くなりますし、自分に関係ないと思えば冷めます。熱い・冷たいの律（中庸）は、要は距離次第なんです。

平野　なるほど。これはわかりやすいですね。家族の関係も、昔に比べて家が広くなった分、距離が増えて冷めてきているし、人間関係にしても、協力し合ったり、助け合ったりしなくても、そこそこ生活できるようになった分、密なつき合いも減ってきて距離ができて冷めてきているし、本当に全て距離の問題なんですね。

千葉　そういうことですね。完璧です。奥伝目録差し上げたくなりました。ついでに、もう少しいきましょうか。ちょっと難しいかな。

それでは、今度は「無」という世界観をたとえてみましょう。陰陽でいえば対する「有」の世界が現出します。同じく、律（中庸）で「無」という世界観をたとえていうならば、「有」を減少させていく方向自体が「無」の集大成になります。「無」の集合体が現出します。

それでは「無」・「有」の律（中庸）は何かというと答えは「影・陰」になります。影が大きければ大きいほど存在が高まります。物陰に隠れて影を消せば見えなくなります。

人気がないのは、他に影響という影を与えない状態をいいます。人気があるのは、他に影響という影を与えている状態をいいます。お金や名声がないのは陰で努力していないことです。仕事や消費により他に影響を与えられない状態です。お金や名声があるのは陰で努力していることです。仕事や消費により他に影響を与えている状態です。

一見、「無」という世界は観念的にとても崇高なイメージがあるように錯覚する人が多いのですが、実は人は生きていくうえで、無も有も時と場合によって、その価値を使い分けます。災難は無のほうが良いですし、幸運は有が良いですし、出費や苦労は無のほうが良いですし、収入や楽しみは有のほうが良いですし。

「無」と「有」の律（中庸・影・陰）は、全ての事象の基本で、全ての神様にさえなります。だから、「お陰様で」と言うわけです。

平野　いやいや、これは面白い。確かにお陰様という心が大切です。昔はお陰様が身の回りにたくさん存在していました。お陰様が少なくなったから、幸せが遠ざかってしまっているんですね。

私も今まで「無」の世界なんて、あくまで観念的なもので精神の奥底の世界だと思っていましたから。いわゆる無の境地なんて遠いところにあるのかなと感じていました。こんなに身近に感じられるなんて、目から鱗《うろこ》です。無を司るお陰様が身近になったから距離が短くなって熱くなりますね。

千葉 あははっ。さすが平野先生。もう妙見法術の理を体得なされましたね。

佐那子から龍馬へ、家伝の妙見法術

平野 質問を続けさせてもらいますが、このような理を術理と呼ぶようなんですが、剣術や体術に現実にこのような妙見の術理が構成されているのですか。

千葉 先ほどの律（中庸）の世界は属性を高めたり変化させたりしました。それを踏まえて説明します。妙見信仰とは星神信仰であり、この信仰は北極星が神格化されたものです。北極星は常に北天にあり、地球の自転に左右されない不動の星であったため、常に「正確な方向」が確認されました。正確な方向が確認されれば、必然的に「最短距離」の世界が現出します。今度は最短時間の世界が現出します。さらには、「安全性」の世界も現出します。このような考えが千葉一族の根本理合になり法術として成立しています。

武術はもちろんですが、私の主宰する「活法月辰会」で教えている整体療法や瞬間催眠療法、姓名分析なども、このような理合で成り立っているため、一瞬で身体の痛みを取ったり動きを正常化させたり、運命を好転させることが可能なのです。

妙見信仰を心の世界と考えれば、妙見法術は躰《からだ》の世界と考えればよいと思います。

平野 要は合わせ鏡のように物事の事象が連鎖的に作り出される世界でしょうか。実は私自身、こういう考えを現実に感じることが多い人間なんです。

千葉 まぁ、土佐と千葉は気線で結ばれていますからね。あくまで、観念的なものではなく、なんにでも応用実践できるのが、面白いところだと私は思っています。

平野 千葉周作や小千葉といわれた千葉定吉や重太郎の北辰一刀流にも、当時はこのような法術が伝わっていたのでしょうか。

千葉 これに関しては、興味深い話が伝わっています。先ほども触れましたが、私の父の曾祖父は幕末に千葉周作の支援をしております。当時は全国に広まっていた千葉一族の人脈の輪がしっかりあったらしいのです。さまざまな分野で要職についている者が多かったのも、その理由かも知れません。千葉周作も当然そのネットワークを頼りに江戸に入っています。

ある料亭で、売り出し中の千葉周作を含む二十人近くの千葉一族の面々が、月星の家紋の羽織を着て、各千葉家に伝わる妙見の法術を肴《さかな》に飲んでいたところ、「千葉先生に記念の一筆をいただきたく」と店の主が筆と紙を持参して部屋に入って来たそうなんです。ところが、皆が皆同じ月星紋で千葉姓ですから「あぁ、いいよ。」と、面白がってみんなで答えちゃったらしいんです。困ったのは料亭の主で、どの人が千葉周作かわからないもんで「あのぉ、本当の千葉先生はどなたでしょうか」と目をまん丸くして尋ねたらしいんです。またまた、面白がって

「私が千葉だが」「いや俺が千葉だ」「いやいやこの私が千葉だ」と答えてみんなで楽しんじゃったらしいんです。

そして、酒の調子に乗り、一人が「ちょいと余興を」と小さな気合を発すると、一瞬でその店の主が動きも話もできないように金縛りになってしまったのです。また別の一人が「なら俺も」と言うやいなや、気合を発した瞬間、店の主は、今度はひっくり返り高いびきで寝てしまったそうなんです。最後に父の曾祖父が「おいおい、あまり苛めるな。みんなの余興は見せてもらったから、今度は主に余興の一つでも見せてもらおう」と言い、またまた小さな気合を発すると、高いびきで寝ていた主が、突如ムクッと起きあがり正座に直り、長唄を得意げに披露し始めたので、周作含め一同大爆笑になったそうです。当然、長唄なんか一切知識がなかったのに。

このように、当時は各千葉の家伝で妙見法術は相伝していたらしいのです。もちろん術の名称はいろいろ違っていたみたいですが。

平野 すごいですねぇ。江戸の千葉道場では妙見法術を術理として剣術の技法が成立していたようですが、実際、技法の本体である妙見法術自体は、門下生に説明相伝されていたのでしょうか。先ほど千葉一族以外には相伝が許されなかったといわれてましたが、龍馬はその妙見法術を修得していたのでしょうか。私がずっと抱いていた疑問が今やっと開かれる気がしているのですが。龍馬は北辰一刀流の妙見法術で脳革命をやったのですね。

千葉 繰り返しますが、私の聞いている限りでは妙見法術に関しては千葉一族以外には、ただ一例以外一切相伝されていません。千葉道場では、むしろ神秘的な教え方は一切していません。先ほども触れましたが、小千葉といわれた千葉定吉の息子、重太郎の妹、佐那子は剣術・長刀・馬術に長けて千葉一族の妙見法術の相伝者でした。「千葉の鬼小町」の異名をとっていました。そして、佐那子が東京千住に開院した千葉治療院は妙見法術の活法を主体にした療術で評判でした。

このようなことを話すといろいろな方面から叱られそうですが、龍馬は佐那子と婚約しています。千葉家から結納の品として短刀ひと振りが贈られています。しかし結婚にまでは至りませんでした。龍馬は佐那子に危険を承知で幕府の機密を盗み出させてもいます。龍馬は佐那子と結婚し千葉一族の親族になる前提だったため、佐那子が家伝の妙見法術を伝えてしまったそうです。これが、たった一例だけの例外だと父から聞いています。

祖父の話によると、相伝の禁を犯した後悔の念を抱きながら佐那子は五十九歳で病没するまで生涯独身で通しましたが、一方他の千葉一族からの支援はなくなっていったようです。静かに生活したい本人の希望を尊重したのです。

維新後の後始末に追われ

平野　なるほど、やはり龍馬にも千葉一族の思想・信仰の母体である妙見法術が伝わっているわけですね。龍馬は千葉一族のネットワークをある意味利用して維新に繋げていったのではないかと想像しています。反面、千葉一族側も北辰一刀流の周作を表に、龍馬を利用して維新に繋げていったのではないのかと、そんな気がしています。

ところで、千葉道場にはあれだけ全国から血気盛んな人材が集まって来ていましたから、龍馬以外にも当時の幕末の志士たちとの接点はかなりあると思います。

具体的には、千葉英之介平一胤様かその親御様の千葉賢蔵平延胤様あたりとの、誰か有名な人物の話などは残っていませんか。

千葉　いろいろありますので、話すと切りがなくなりますが。敢えて言いますと、維新の三傑といわれる西郷吉之助隆盛との関係でしょうか。

大政奉還を目前としていた頃らしいのですが、江戸において、反幕府の浪士たちが辻斬りや強盗などの非道をあまりにも挑発的に働くために、やめさせるための苦情の書を渡したそうで、曾祖父宛の、返書の詫び状がありました。

私の母には京都帝大出の弟が二人おりまして、一人は早稲田大学の中国語の教授で、一人が東海大でフランス語の教授をしていました。母方はちょっとインテリ系なんです。

ある日、母がその西郷書面のことを弟たちに話したそうなんです。二人ともびっくりして、それぞれ大学の歴史関係の教授を芝の三田の家に連れてきて、その書面を見せたそうです。

まぁ、専門家にはたいそう価値があったようで、やれ本物かどうか鑑定させてくれとか、調査させてくれとか、とにかく貸してほしいということになり預けたのですが、その後は問い合わせても鑑定中だとかなんとか言って、しまいにはどこのどなたに渡ったものか皆目見当がつかなくなってしまったそうなんです。

まぁ、当時は大学教授なんていっても食べていけない時代でしたので、どこかに売ってしまったのではないでしょうか。きちんと保存されていれば有り難いのですが。

平野　もったいないですね。ところで、あまり表の歴史には出てこないようですが、維新後の千葉一族の行動はどのようになったのでしょうか。

千葉　先ほども述べましたが、千葉はあくまで陰に生きるを旨にする一族でしたから、維新の成立後は、その役割の終わりを悟っていました。

ただ、維新後しばらくは、なんといっても成り上がりの、にわか権力者が大量生産されたために、想定外の混乱が各所に起こり、その後始末に多大な努力をしたそうです。

平野　なるほど、ある程度想像できますね。具体的には？

千葉　例えば、曾祖父たちが各地の寺院に維新の協力を取り付けました。しかし、蓋を開けてみれば、訳のわからない仏教弾圧などが行われ、略奪や放火などが日常茶飯事だったそうです。神道を守護するためだったのでしょうが。

責任感から、その損害の補償などに財を振り分け、また、各藩から永《とわ》の暇《いとま》を受けた千葉一族の藩士たちの支援などに追われ、ほんと大変だったみたいですよ。

妙見菩薩による見えない作用

平野　ある意味で維新の裏面史ですね。今回の政権交代でも、確かにそんなことが多数起こりえると思います。

また元の話に戻ってしまいますが、千葉先生の話を伺ってきて、やはりというか、再確認できたというべきか、「将門の乱」以来の歴史を顧みますと、その時代の集合的無意識による臨界点、すなわち破壊と創造ですね。これ、全て未来に向かうための節目なわけですが、これらを実現させている見えざる作用と言いますか、俗的に言えば平将門の怨霊《おんりょう》を作用させている力ですか、敢えて言葉で単純に表現すると「神」になるのでしょうが、このあたりは千葉先生としてはどう感じられますか。

千葉　あははっ。平野先生が感じておられる、そのものズバリじゃないのですか。

平野　今に通じる最大公約数的共通作用は……。やはり「妙見菩薩」ですよね。

千葉 そのとおりでした。平野先生は妙見の作用であることにすでに気づかれていたんでしょう？

平野 はい。薄々ですが。実はそれを確認したかったのが今回の対談の目的でした。

千葉 それでは、調子に乗って、もう一つ秘密をばらします。これも初めて言います。少しオカルトっぽい話になりますが、昔はこんなこともしていたんだと思っていただけるだけでけっこうです。

それでは順を追って簡略に説明します。常陸の国を領地にしていた平将門は国家に反逆し「将門の乱」を起こします。千葉一族の祖、平良文は関東人の星である仲の良い将門に協力しともに戦いました。そして、これは朝廷の事後処理の方針でしたが、さまざまな要因で良文は将門の領地を相続します。要は治安も安定もない関東は実力のある者にまかせて、おおいに開発をさせて税を徴収したほうが得と考えたためです。

将門から奪い取った領地ではありませんから、平良文以降千葉之介常胤に至るも、この領地は、あくまで将門からの預かりであると認識してきました。

ここがポイントです。朝廷は将門の怨霊を成田山に封じました。逆に平良文は将門の残気を妙見に託し成田山に対し無力化の結界を張ります。特に旧水戸街道・成田街道・千葉街道、いわゆる今でいう東京方面から成田山に至る街道には、妙見の結界により成田山を無力化しています。成田街道沿いの妙見社にある地蔵は、成田詣での旅人が通ると横を向くとさえ言われていました。

千葉一族は成田詣では固く禁じられています。千葉之介常胤は敢えて成田詣でを行い、内部より妙見の結界を張りました。そして、切り口の模様が将門の家紋に似たキュウリを食べない風習をつくりました。ここに民衆の味方だった将門信仰が生まれます。

さて、平良文〜千葉之介常胤の子孫である九州宗家千葉一族の子孫、千葉待之丞辰胤は父の曾祖父の親ですが、黒田藩に仕官し勘定奉行をしておりました。千葉待之丞辰胤は福岡を中心に、切り口の模様が黒田の家紋に似たキュウリを食べない風習を広めました。将門信仰と同じ風習をつくり、九州人に潜在的将門の残気の影響を与えるためでした。そして九州各地に建立した妙見社により将門の残気は温存されました。その将門の封印を幕末に解いたのが、千葉待之丞辰胤の子である千葉賢蔵平延胤なのです。父の曾祖父です。そして維新に至るわけです。

平野　えーっ！　まさに将門の怨霊じゃないですか。私、以前に現在の政権交代は脈々と続く将門の怨霊がなさせるところだなんてことを書いて、いろいろな方面から怒られましたが。やはりそうなんだ。将門の怨霊は、妙見様が温存していたわけか。

でも、なんで九州だったんでしょうか。

千葉　私は父からそう聞いています。九州では蒙古襲来により、千葉一族は早くから外国との戦闘経験がありましたから、その外国との戦争の驚異は身にしみていたわけです。だからこそ将門のエネルギーが大事だったのでしょう。

平野 なるほど。そういえば龍馬の土佐の生誕地の近くにも妙見山というところがあります。これも因縁がありそうだなぁ。和霊神社の件もあるしなぁ。

私は妙見に対する知識もあまりなく、観念的な妙見や、ましてや実践的な妙見法術なんか想像外でした。いろいろ具体的にお聞きすることができて目から鱗の連続でした。

特に妙見法術の陰陽と中庸の三元。あれはいいなぁ。そして、妙見による将門の残気の温存。大変勉強になりました。

歴史の見方が、ずっと広がりました。ほんとうに有難うございました。これからは、妙見様をもっともっと勉強したいと思います。これを機会に妙見学を確立しましょう。

千葉 ぜひやりましょう。今回は頭の中に入っているデータだけでお話ししてしまいましたので、間違いがあるかも知れません。そのあたりはおおめにみてください。

私は息子の充胤・智胤に、これらを含め相伝していきます。嫌がるだろうなぁ。

あとがき

NHKの「龍馬伝」の向こうを張って、新しい龍馬論を執筆し始めたのが、去年の四月初旬であった。ところが『わが友・小沢一郎』(幻冬舎)が先行することになり、本書の執筆を本格化させたのは、政権交代が実現した八月三十日以後であった。

不思議なことに、脱稿してゲラを校正中に次々と星信仰や妙見信仰について、情報が湧き出すように持ち込まれた。まず高知の歴史研究家、南寿吉氏から『消された星信仰』(榎本出雲・近江雅和共著、彩流社)という本を教えてもらった。驚いたことに星を信仰する神社は、茨城、千葉、栃木と四国の高知に集中しているとのこと。

次いで、土佐の黒潮町在住の平野成泰氏からインターネットのブログに出ていた「中国・四国・九州の妙見菩薩」(妙見シリーズ6)を送ってもらった。飯能市にある円泉寺の諸井政昭住職が作成した日本中の「妙見シリーズ全七集」の一部で、早速インターネットから引き出してみた。

諸井住職の熱心な努力に驚きと敬意を表して電話をしたところ、「岡山県の妙見祭祀状況」（藤井永喜雄著）のコピーなど、貴重な資料を送っていただいた。

さらに校正終了直後、倉敷市の観龍寺の村田隆禅住職から『神仏分離と倉敷』の著書を贈っていただいた。妙見信仰が失われていく実態に接し、精神文化荒廃の原因が理解できた。

全国至るところに、かつて江戸時代まで妙見菩薩として、あるいは北辰の星神様として、寺院や神社で信仰されていた状況を知って、日本で民衆の心を支えていたものはこれだと確信した。

明治時代となって、なぜ妙見信仰が消えていったのか。廃物毀釈のせいだけではないと思う。むしろ明治官僚国家体制が確立していくなかで、妙見信仰が封印されたのだと思う。幕末、坂本龍馬は北辰一刀流の「妙見の法力」を修得し、民衆の解放を目指したが、これを封印する必要があったのではないか。龍馬暗殺の隠れた理由はここにあると思うが、真実はこれからの研究を待とう。

平成二十一年（二〇〇九）八月三十日の衆議院総選挙は、日本の歴史始まって以来、初めて民衆が国家の政治権力を創った出来事であった。『妙見菩薩陀羅尼経』によれば、「王位（国家権力）が腐敗し民衆が困窮したとき、北辰は民衆のため新しい王位をつくることに法力を与える」という趣旨の経文がある。

まさしく妙見信仰の封印が解かれたといえる。二十一世紀に人類が幸せに生きるため、妙見信仰の神髄を私たちは学ぶべきではなかろうか。

尚、本書の執筆にあたって次の文献を主に参考にさせていただいた。『龍馬百話』（宮地佐一郎著・文春文庫）、『坂本龍馬のすべて』（平尾道雄編・新人物往来社）、『竜馬外伝』『竜馬外伝（2）』（中祭邦乙著・中央文化出版）、『坂本龍馬』（豊田穣著・学陽書房）、『龍馬書簡集』（高知県立坂本龍馬記念館）、『漂巽紀略』（川田維鶴撰・高知市民図書館）、『南学と土佐藩の法制』（吉永豊實著・高知県文教協会）、『消された星信仰』（榎本出雲／近江雅和著・彩流社）。

平成二十二年一月　　　　　　　　平野　貞夫

著者略歴

平野貞夫
ひらのさだお

一九三五年高知県生まれ。六〇年、法政大学大学院政治学専攻修士課程修了後、衆議院事務局に就職。園田直副議長秘書、前尾繁三郎議長秘書などを経て九二年、参議院議員初当選。自由民主党、新生党、新進党、自由党などを経て二〇〇三年民主党に合流。議会運営と立法過程に精通する政治家として評価される。〇四年、政界引退。『平成政治20年史』(幻冬舎新書)、『わが友・小沢一郎』(小社)など著書多数。ジョン万次郎研究者としても知られる。

幻冬舎新書 158

坂本龍馬の10人の女と謎の信仰

二〇一〇年一月三十日　第一刷発行

著者　平野貞夫
発行人　見城　徹
編集人　志儀保博

発行所　株式会社　幻冬舎
〒一五一-〇〇五一　東京都渋谷区千駄ヶ谷四-九-七
電話　〇三-五四一一-六二一一（編集）
〇三-五四一一-六二二二（営業）
振替　〇〇一二〇-八-七六七六四三

ブックデザイン　鈴木成一デザイン室
印刷・製本所　中央精版印刷株式会社

Printed in Japan　ISBN978-4-344-98159-1 C0295
ひ-6-2

幻冬舎ホームページアドレス http://www.gentosha.co.jp/
＊この本に関するご意見・ご感想をメールでお寄せいただく場合は、comment@gentosha.co.jpまで。